U0812910

崇文館
家庭典藏

崇文国学经典
普及文库

楚辞

（战国）屈原（战国）宋玉◎著
廖晨星◎注译

长江出版传媒
崇文书局

楚辞

图书在版编目（CIP）数据

楚辞 /（战国）屈原，（战国）宋玉著；廖晨星注译．
—武汉 ：崇文书局，2017.1
（崇文国学经典普及文库）
ISBN 978-7-5403-4268-5
Ⅰ．①楚…
Ⅱ．①屈… ②宋… ③廖…
Ⅲ．①古典诗歌－诗集－中国－战国时代 ②楚辞－注释 ③楚辞－译文
Ⅳ．① I222.3
中国版本图书馆 CIP 数据核字（2016）第 251379 号

出 品 人 潘启胜

统　　筹 陈中琼
责任编辑 朱小双

出版发行 长江出版传媒 | 崇文书局
地　　址 武汉市雄楚大街 268 号 C 座 11 层
电　　话 (027)87293001 邮政编码 430070

印　　刷 湖北恒泰印务有限公司
开　　本 889×1194 1/32
印　　张 8.5
字　　数 187 千字
版　　次 2017 年 1 月第 1 版
印　　次 2017 年 1 月第 1 次印刷
定　　价 28.80 元
（如发现印装质量问题，影响阅读，请与承印厂调换）

本作品之出版权（含电子版权）、发行权、改编权、翻译权等著作权以及本作品装帧设计的著作权均受我国著作权法及有关国际版权公约保护。任何非经我社许可的仿制、改编、转载、印刷、销售、传播之行为，我社将追究其法律责任。

法律顾问：吴建宝律师工作室

总序

现代意义的“国学”概念，是在19世纪西学东渐的背景下，为了保存和弘扬中国优秀传统文化而提出来的。1935年，王缁尘在世界书局出版了《国学讲话》一书，第3页有这样一段说明：“庚子义和团一役以后，西洋势力益膨胀于中国，士人之研究西学者日益众，翻译西书者亦日益多，而哲学、伦理、政治诸说，皆异于旧有之学术。于是概称此种书籍曰‘新学’，而称固有之学术曰‘旧学’矣。另一方面，不屑以旧学之名称我固有之学术，于是有发行杂志，名之曰《国粹学报》，以与西来之学术相抗。‘国粹’之名随之而起。继则有识之士，以为中国固有之学术，未必尽为精粹也，于是将‘保存国粹’之称，改为‘整理国故’，研究此项学术者称为‘国故学’……”从“旧学”到“国故学”，再到“国学”，名称的改变意味着褒贬的不同，反映出身处内忧外患之中的近代诸多有识之士对中国优秀传统文化失落的忧思和希望民族振兴的宏大志愿。

从学术的角度看，国学的文献载体是经、史、子、集。崇文书局的这一套国学经典普及文库，就是从传统的经、史、子、集中精选出来的。属于经部的，如《诗经》《论语》《孟子》《周易》《大学》《中庸》《左传》；属于史部的，如《战国策》《史记》《三国志》《贞观政要》《资治通鉴》；属于子部的，如《道德经》《庄子》《孙子兵法》《鬼谷子》《世说新语》《颜氏家训》《容斋随笔》《本草纲目》《阅微草堂笔记》；属于集部的，如《楚辞》《唐诗三百首》《豪放词》《婉约词》《宋词三百首》《千家诗》《元曲三百首》《随园诗话》。这套书内容丰富，而分量适中。一个希望对中国优秀传统文化有所了解的人，读了这些书，一般说来，犯常识性错误的可能性就很小了。

崇文书局之所以出版这套国学经典普及文库，不只是为了普及国学常识，更重要的目的是，希望有助于国民素质的提高。在国学教育中，有一种倾向需要警惕，即把中国优秀的传统文化“博物馆化”。“博物馆化”是20世纪中叶美国学者列文森在《儒教中国及其现代命运》中提出的一个术语。列文森认为，中国传统文化在很多方面已经被博物馆化了。虽然中国传统的经典依然有人阅读，但这已不属于他们了。“不属于他们”的意思是说，这些东西没有生命力，在社会上没有起到提升我们生活品格的作用。很多人阅读古代经典，就像参观埃及文物一样。考古发掘出来的珍贵文物，和我们的生命没有多大的关系，和我们的生活没有多大关系，这就叫作博物馆化。“博物馆化”的国学经典是没有现实生命力的。要让国学经典恢复生命力，有效的方法是使之成为生活的一部分。崇文书局之所以强调普及，深意在此，期待读者在阅读这些经典时，努力用经典来指导自己的内外生活，努力做一个有高尚的人格境界的人。

国学经典的普及，既是当下国民教育的需要，也是中华民族健康发展的需要。章太炎曾指出，了解本民族文化的过程就是一个接受爱国主义教育的过程："仆以为民族主义如稼穑然，要以史籍所载人物制度、地理风俗之类为之灌溉，则蔚然以兴矣。不然，徒知主义之可贵，而不知民族之可爱，吾恐其渐就萎黄也。"(《答铁铮》)优秀的传统文化中，那些与维护民族的生存、发展和社会进步密切相关的思想、感情，构成了一个民族的核心价值观。我们经常表彰"中国的脊梁"，一个毋庸置疑的事实是，近代以前，"中国的脊梁"都是在传统的国学经典的熏陶下成长起来的。所以，读崇文书局的这一套国学经典普及读本，虽然不必正襟危坐，也不必总是花大块的时间，更不必像备考那样一字一句锱铢必较，但保持一种敬重的心态是完全必要的。

期待读者诸君喜欢这套书，期待读者诸君与这套书成为形影相随的朋友。

陈文新

（教育部长江学者特聘教授，武汉大学杰出教授）

前言

“楚辞”是指兴起于战国时期，以屈原为代表所创作的诗歌样式，它具有楚国鲜明的地方色彩，是继《诗经》之后彪炳我国诗坛的又一种新兴的诗歌体裁。

《楚辞》之所以称“楚”，最重要的在于它的声韵、情调、思致和精神风貌，均带有鲜明的楚地特点。

据有关历史记载和民间传说，自原始社会开始，楚地人便信神好巫，流传下来不少的神话作品和巫术。它们虽然在本质上有所不同——神话产生于原始人对大自然的幼稚解释和幻想，表达了人类征服自然的愿望；巫术则产生于人类某些超自然的幻想，企图依靠某种神秘的手段和仪式来驱鬼降神，以达到祈福消灾的目的——但两者同是原始幼稚思想的产物，都是把自然意识化、人格化。

需要指出的是，如果没有古代楚地的神话和巫术，楚辞艺术形式的某些重要特点可能就不复存在，但却不能而依此认定屈原是神巫和宗教的信仰者。如《九歌》中虽然写了一系列神的形象，但强调的却是神的挫折和哀怨，而并非它们的神通广大；《离骚》中写自己三次上天入地叩见诸神，但它们却表现出对正义者的冷落；《天问》虽然采取了某种卜问形式，但表现出来的却是理性的批判精神……显然，屈原只是将神话和宗教活动作为文学创作的素材和表现手法而已，他以独创的精神吸取巫俗文学并加以改造，使它完全摆脱了宗教性，成为一种体裁宏伟并带有强烈个性和浪漫主义精神的新体诗。

赏析楚辞，对屈原是不能不作了解的。屈原是我国文学史上伟大的爱国诗人，他大约生于公元前339年，死于公元前278年，这正是我国战国后期。他把自己的政治思想，哲学思想，对祖国对人民的深厚感情熔铸在诗篇里，并取得了无与伦比的辉煌成就。他的代表作《离骚》这一政治抒情长诗，两千多年来更是被尊为可“与日月争光”的杰作，其他如《九歌》《九章》《渔父》《天问》也都是古老的艺术珍品。屈原的作品开创了我国抒情诗真正光辉的起点，至今仍是不可比拟的典范。

由于编者水平有限，加以时间仓促，难免在编译的过程中出现不够完善或错误之处，敬请学者和广大读者不吝指正。

目录

离骚

屈原[1]

【内容提要】

《离骚》是屈原的代表作品，是中国古代最瑰丽的一首抒情长诗，也是世界诗歌史上最雄奇的诗篇之一。

司马迁在《史记·屈原贾生列传》中说："离骚者，犹离忧也。"王逸的《离骚经序》说："离，别也；骚，愁也。"

《离骚》写作于屈原被楚怀王疏远的时期，全诗共三百七十三句，二千四百多字。屈原在这篇绚丽多姿、波澜起伏、想象瑰奇、气魄宏伟、情真意挚的抒情长诗中，抒写了自己的身世生平、不幸境遇、美好追求，揭露了楚王的昏聩多变、善恶不分、忠奸不辨，抨击了旧贵族的嫉贤妒能、结党营私、谗佞贪婪，同时也表现了诗人崇高伟大的爱国精神，修明法度、举贤授能的美政理想，宁为玉碎、不为瓦全的坚贞品格。"长太息以掩涕兮，哀民生之多艰"、"路漫漫其修远兮，吾将上下而求索"均成为千古绝唱。

【原文】

帝高阳之苗裔兮[2]，朕皇考[3]曰伯庸。
摄提贞于孟陬[4]兮，惟庚寅[5]吾以降。

皇览揆余初度[6]兮，肇[7]锡余以嘉名。
名余曰正则兮，字余曰灵均[8]。

纷吾既有此内美兮，又重之以修能[9]。
扈江离与辟芷[10]兮，纫秋兰以为佩[11]。

汩[12]余若将不及兮，恐年岁之不吾与[13]。
朝搴阰之木兰[14]兮，夕揽洲之宿莽[15]。

日月忽其不淹[16]兮，春与秋其代序[17]。
惟[18]草木之零落兮，恐美人之迟暮[19]。

不抚壮而弃秽[20]兮，何不改此度[21]？
乘骐骥[22]以驰骋兮，来吾道夫[23]先路。

【注释】

①屈原（约公元前339年—前278年），名平，字原，战国时期楚国人，曾任左徒、三闾大夫，我国古代著名的浪漫主义诗人。

②高阳：相传是古代帝王颛顼（zhuān xū）的称号。裔（yì）：后代。兮（xī）：语气词，相当于“啊”。

③朕（zhèn）：我。秦始皇以前，一般人均可用“朕”。皇：大。考：对亡父的尊称。

④摄提：寅年的别名。贞：正当。孟：开端。陬（zōu）：夏历正月，又是寅月，《楚辞》均用夏历。

⑤惟：发语词。庚寅：纪日的干支，屈原正好生于寅年寅月寅日这个难

得的吉日。

⑥皇：皇考。揆(kuí)：度量。初度：初生时的样子。

⑦肇(zhào)：开始。

⑧正：平。则：法。正则：公正的法则，含“平”的意思。灵均：美好的平地，含“原”的意思，屈原名平字原。

⑨纷：众多。重(chóng)：加上。修能：优秀的才能。

⑩扈(hù)：楚方言，披。江离：香草名。辟：幽僻。芷：香草名，白芷。

⑪纫：连缀。佩：古人的佩饰，这里用佩带香草比喻重视自己的后天修养。

⑫汩：水流迅疾，这里比喻光阴似水。

⑬不吾与：不等我。

⑭搴(qiān)：拔取。阰(pí)：山坡。木兰：香树，这里指木兰花。

⑮揽：采。宿莽：经冬不死的香草。木兰树去皮不死，宿莽草经冬不死。

⑯忽：速。淹：留。

⑰代序：时序轮流替换。

⑱惟：想。

⑲美人：这里指楚怀王。迟暮：年老。

⑳抚壮：趁着壮年。秽(huì)：污秽的行为。
㉑度：法度。
㉒骐骥(qí jì)：骏马，比喻贤能之人。
㉓来：来吧。道：通“导”，引起。夫：语气词。

【译文】

我是古帝颛顼高阳的后裔，我的先父名叫伯庸。

岁星在寅的那一年正月，恰是庚寅之日我从天上翩然降临之时。

父亲仔细揣度我刚刚下凡的时辰和啼声，通过占卜赐给了我相应的美名。

给我取的大名叫正则啊，给我取的别号叫灵均。

上天既赋予我这么多内在的美质啊，我也非常注意修养自己良好的品性。

我披着喷吐幽香的江离和白芷啊，又连缀起秋兰作为自己的佩巾。

光阴似流水我怕追不上，岁月不等我令人心着慌。

清晨，我浴着晨曦去拔取坡上的木兰；傍晚，我背着夕阳在洲畔采摘宿莽来润德润身。

太阳与月亮互相交迭，未尝留停，新春与金秋相互交替，永无止境。

想到树上黄叶纷纷飘零，我害怕美人啊，您头上也添上丝丝霜鬓。

为何不趁壮年摈弃污秽，为何不改变已经过时的法度？

快乘上骏马勇敢地驰骋，来，让我为你在前方引路！

【原文】

昔三后之纯粹[①]兮，固众芳之所在[②]。
杂申椒与菌桂[③]兮，岂惟纫夫蕙茝[④]！

彼尧、舜之耿介[⑤]兮，既遵道而得路[⑥]。
何桀纣之猖披[⑦]兮，夫惟捷径以窘步[⑧]。

惟夫党人[⑨]之偷乐兮，路幽昧[⑩]以险隘。
岂余身之惮[⑪]殃兮，恐皇舆[⑫]之败绩！

忽[⑬]奔走以先后兮，及前王之踵武[⑭]。
荃不察余之中情[⑮]兮，反信谗以齌怒[⑯]。

余固知謇謇[⑰]之为患兮，忍而不能舍也。
指九天以为正[⑱]兮，夫惟灵修[⑲]之故也。

[曰黄昏以为期兮，羌中道而改路。]
初既与余成言[⑳]兮，后悔遁[㉑]而有他。
余既不难夫离别兮，伤灵修之数化[㉒]。

【注释】

①三后:指夏禹、商汤、周文王。纯粹:比喻德行完美。

②众芳:喻群贤。在:聚集。

③杂:杂集。申椒:申地所产花椒。菌桂:桂树的一种。"申椒""菌桂"均比喻贤才。

④惟:只。蕙:香草名。茝(chǎi):一种香草。"蕙""茝"都喻贤才。

⑤耿介:光明正大。

⑥遵道:遵循正道。路:正确的途径。

⑦何:何等。桀纣(jié zhòu):夏桀与商纣,分别为夏末和商末的暴君。猖披:猖狂放肆。

⑧捷径:歪斜的小路,比喻不走正道。窘步:难以举步。

⑨夫:彼,那些。党人:结党营私之人。

⑩路:政治道路。幽昧:黑暗。

⑪惮(dàn):害怕。

⑫舆:车。皇舆:国君所乘的车辆,比喻楚王朝。

⑬忽:急急忙忙的样子。

⑭及:赶上。前王:即"三后"。踵(zhǒng)武:足迹。

⑮荃(quán):香草名,比喻国君。察:体察。中情:内心。

⑯齌(jì)怒:暴怒。

⑰謇(jiǎn)謇:忠言直谏。

⑱指九天:指天发誓。正:通"证"。

⑲灵修:指楚怀王。"灵"是聪明的意思,"修"是美好的意思,《楚辞》中常用夫妇关系比喻君臣关系。"灵修"就是指借妻子对丈夫的美称来作为臣对君的美称。

⑳成言:约定。

㉑悔遁：背弃诺言。
㉒数化：屡次变化。

【译文】

想当初三代先王的德行是那么完美精纯，一丛丛芳草鲜花簇拥着他们。

那个时节啊，花椒与桂树层层相间，哪里只是蕙草与白芷散发芬芳？

哦！唐尧和虞舜是多么正大光明，他们遵循着正道，向着光明迈进。

夏桀和商纣是多么猖狂放肆啊，只想走邪道抄小路，结果使自己走向困境。

那些小人是这样苟且偷安，使国家的前途黑暗险隘而不思反省。

难道我担心自己会遭受灾祸？不，我担心的是楚国败亡！

急匆匆，我为王朝的复兴前后奔波，希望你追及前王的脚步。

君主啊，你不能体察我的一片衷情，反而听信谗言，对我大发雷霆。

我明明知道直谏忠言招灾惹祸，想隐忍不语却难舍难割。

我敢手指苍天让它给我做证，全都是为你君王的缘故！

[已经说好我们要在黄昏时成婚的，可为什么中途反悔变卦呢？]（有学者考证，这句话是后人加上去的，原文并没有。）

想当年，你与我披肝沥胆，定下约言；可后来你却另作打算，不记前情。

我和你分别都不感到难过，伤心的只是君王你不守诺言，反复无常。

【原文】

余既滋兰之九畹①兮，又树蕙之百亩。

畦留夷与揭车②兮，杂③杜衡与芳芷。

冀枝叶之峻茂[4]兮，愿竢时乎吾将刈[5]。
虽萎绝[6]其亦何伤兮，哀众芳之芜秽[7]。

众皆竞进[8]以贪婪兮，凭不厌乎求索[9]。
羌内恕己以量[10]人兮，各兴心[11]而嫉妒。

忽驰骛[12]以追逐兮，非余心之所急。
老冉冉[13]其将至兮，恐修名[14]之不立。

朝饮木兰之坠露兮，夕餐秋菊之落英[15]。
苟余情其信姱以练要[16]兮，长顑颔[17]亦何伤。

揽木根[18]以结茝兮，贯薜荔[19]之落蕊。
矫[20]菌桂以纫蕙兮，索胡绳之纚纚[21]。

謇吾法夫前修[22]兮，非世俗之所服[23]。
虽不周[24]于今之人兮，愿依彭咸之遗则[25]。

【注释】

①滋：培植。九畹：九是虚数，表示多。畹有十二亩、二十亩、三十亩几种说法。

②畦(qí)：田垄，在此作动词。留夷：即芍药。揭车：香草名。

③杂：套种。

④冀：希望。峻茂：高大茂盛。

⑤竢(sì)：等待。刈(yì)：收割。

⑥萎绝:枯萎凋谢。
⑦芜秽:荒芜污秽。众芳之芜秽:比喻人才变质。
⑧竞进:争相钻营。
⑨凭:楚方言,满。乎:于。求索:追求索取。
⑩羌:楚方言,发语词。恕:揣度。量:衡量。
⑪兴心:起心。
⑫驰骛(wù):驰骋。
⑬冉冉:渐渐。
⑭修名:美名。
⑮落英:开始坠落的花。
⑯苟:如果。信:确实。姱(kuā):美好。练要:简练扼要,精粹。
⑰颇颔(kǎn hàn):因饥饿而面黄肌瘦的样子。
⑱木根:木兰的根。
⑲贯:穿。薜荔(bì lì):香草名。
⑳矫:举起。
㉑索:动词,搓绳。胡绳:香草名。纚(xǐ)纚:形容绳索又长又好的样子。

㉒謇(jiǎn):楚方言,发语词。法:效法。前修:前代贤人。
㉓服:穿戴。
㉔周:符合。
㉕彭咸:传说是殷代的贤臣,因劝谏君主的意见不被采纳,投水自尽。遗则:留下的榜样。

【译文】

我已经滋育了大片的春兰,又种下了百亩秋蕙。

我还分别种植了芍药与揭车,将杜衡与白芷套种其间。

真希望它们能够枝繁叶茂、花红叶绿,待成熟时我将其收割收藏。

即使花儿谢了,那又有什么悲伤,最痛心的是众多的香草已经发生了质变。

那些小人争着贪利夺权,趋之若鹜地追逐着功名利禄。

他们都猜忌别人而原谅自己,彼此间勾心斗角,相互嫉妒。

像他们那样竭尽全力去争权夺利,实在不是我内心所要追求的东西。

我觉得自己的老境将要到来,只担心美好的名声来不及树立。

清晨,我吮吸着木兰花上的坠露;傍晚,我餐食着菊花瓣上的蓓蕾。

只要内心是真正的美好而精纯,我就是长久面黄肌瘦又有何可悲?

我用木兰的根须把白芷拴上,再穿上带着露珠的薜荔。

我用菌桂的嫩枝连缀起蕙草,再绞起胡绳的一串串花蕊。

我是如此虔诚地效法古代的圣贤,绝非一般世俗之徒的穿戴。

我不能和今人志同道合,但却心甘情愿沐浴彭咸的遗辉。

【原文】

长太息[①]以掩涕[②]兮,哀民生之多艰。

余虽好修姱以鞿羁兮，謇朝谇而夕替[3]。

既替余以蕙纕兮，又申之以揽茝[4]。
亦余心之所善兮，虽九死[5]其犹未悔。

怨灵修之浩荡兮，终不察夫民心[6]。
众女嫉余之蛾眉兮，谣诼谓余以善淫[7]。

固时俗之工巧兮，偭规矩而改错[8]。
背绳墨以追曲兮，竞周容以为度[9]。

忳郁邑余侘傺[10]兮，吾独穷困乎此时也。
宁溘死以流亡兮，余不忍为此态[11]也。

鸷鸟之不群[12]兮，自前世而固然。
何方圜之能周兮，夫孰异道[13]而相安？

屈心而抑志兮，忍尤而攘诟[14]。
伏[15]清白以死直兮，固前圣之所厚。

悔相道之不察兮，延伫乎吾将反[16]。
回朕车以复路兮，及行迷[17]之未远。

步余马于兰皋兮，驰椒丘且焉止息[18]。
进不入以离尤兮，退将复修吾初服[19]。

制芰荷以为衣兮，集芙蓉[20]以为裳。
不吾知其亦已兮，苟余情其信芳[21]。

高余冠之岌岌兮，长余佩之陆离[22]。
芳与泽其杂糅兮，唯昭质其犹[23]未亏。

忽反顾以游目兮，将往观乎四荒[24]。
佩缤纷其繁饰兮，芳菲菲其弥章[25]。

民生各有所乐兮，余独好修以为常[26]。
虽体解吾犹未变兮，岂余心之可惩[27]？

【注释】

①太息：叹息。

②掩涕：泪流满面。

③虽：唯。好(hào)：爱慕、崇尚。修姱：修洁而美好。鞿羁：喻指束缚、约束。謇(jiǎn)：古楚语的句首语气词。谇(suì)：谏诤。替：废弃、贬斥。

④纕(xiāng)：佩带。揽茝(chǎi)：采集芳芷。蕙纕、揽茝，比喻高尚的德行。

⑤所善：所崇尚的美德。虽：纵然、即使。九死：泛指多次死亡。

⑥灵修：神圣，指君王。浩荡：荒唐。民心：人心，也指诗人的苦心。

⑦众女：喻指许多小人。蛾眉：喻指高尚德行。谣诼(zhuó)：造谣、诽谤。淫：淫乱。

⑧固：本来。时俗：世俗。工巧：善于取巧。偭(miǎn)：背向，引申为违背。错：通“措”，措施。

⑨绳墨：木匠取直线用的引绳弹墨的工具，俗称墨斗，比喻准绳、准则。周容：苟合奉承以取悦于人。度：法度、准则。

⑩忳(tún)郁邑：强调忧闷深切。忳：忧闷。郁邑：通“郁悒”，忧愁苦闷。侘傺(chà chì)：失意的样子。

⑪溘(kè)：突然、忽然。流亡：随流水而消逝。不忍：不能容忍。此态：指“众女”之种种丑态。

⑫鸷(zhì)：凶猛的鸟，指鹰、雕等。鸟：这里指一般的鸟。不群：不合群。

⑬方圜(yuán)：方和圆，方枘(ruì)(榫头)和圆凿(受榫头的穿孔)。圜：通“圆”。周：合。孰：何。异道：不同道。

⑭尤：罪过。攘(rǎng)：忍受。诟(gòu)：耻辱。

⑮伏：守、保持。

⑯相道：观察、选择道路。延：久久。伫：久立。反：返回。

⑰复路：回原路。及：趁着。行迷：走迷了路。

⑱步：步行，这里是使动用法。余马：我的马车，即上节的“朕车”。兰皋：长着兰草的水边高地。椒丘：长着椒树的山冈。驰：快跑。焉：于彼，在那里。止息：停下来休息。

⑲进、退：古代君子进则从政，兼济天下；退则归隐，独善其身。不入：不被君王所用。离：通“罹(lí)”，遭受。初服：当初的衣服，比喻原先的志向。

⑳芰(jì)荷：菱叶和荷叶。芙蓉：荷花。

㉑不吾知：即“不知吾”。亦已兮：也就算了啊。苟：只要。信：确实。芳：美好。

㉒高、长：用作动词。岌(jí)岌：高耸的样子。陆离：修长的样子。

㉓芳：芳香。泽：污浊。昭质：光明纯洁的本质。唯……犹……：唯独(只有)……还……。

㉔反顾：回头看。游目：放眼观看。往观：去观察。四荒：指辽阔大地。
㉕缤纷：繁多。繁饰：众多装饰品。芳菲菲：服饰品芳香浓烈。弥章：更加明显。章：通“彰”。
㉖好修：爱美，比喻修身养性。以为常：认为是常规。
㉗体解：肢解。未变：不会改变。惩(chéng)：挫败。

【译文】

我长叹息而泪流满面，因人民多灾多难而哀伤。
爱纯洁爱美好对己从严，早上劝谏君王晚上被贬。
既罚我用香蕙做了佩带，又因我采芳草对我责怪。
似这样好品德在我心扉，即使是死九回也不后悔。
只怨我那帝王实在荒唐，他始终不能把民情体谅。
众女人嫉妒我长眉漂亮，诽谤我作风坏品行淫逸。
这世人本善于投机取巧，违规矩背法度只知讨好。
抛原则只追求歪斜曲弯，竞相把讨好人作为法典。
我忧闷我失意我心烦乱，我独在这世上处境艰难。

我宁愿突然死如水流散，也不愿装这种世俗嘴脸。
是雄鹰终不能与凡鸟同群，就这样自古代直到如今。
用方枘对圆凿哪能配套，哪里有道不同而相互很好？
我只有受委屈压抑意志，竟忍心背罪过蒙受羞耻。
能保持清白身献身正道，本来是古圣贤大力号召。
我后悔选道路没有看对，久久地伫立着只想返回。
调转过我的车原路重返，虽然是迷了路还不算远。
驱赶马登高至水边兰草，疾驰于椒树林丘陵歇脚。
到朝廷去做官受到责难，回江湖重整我旧时衣衫。
剪几片绿荷叶来做上装，缝几朵白莲花制成衣裳。
你对我不了解也就罢了，只要我的心灵确实美好。
把我的高帽子加得更高，把我的长佩带延长几遭。
清芳物与污浊杂糅相混，唯独我明洁心没有亏损。
忽然间我回头放眼远望，我将去看四方土地宽广。
佩带上好服饰多彩缤纷，香喷喷那气味真是怡人。
老百姓过日子乐趣各样，我独自爱修养习以为常。
即使被肢解也不变思想，又怎能挫败我远大志向。

【原文】

女嬃之婵媛①兮，申申其詈②予。
曰：
“鲧婞直以亡身③兮，终然殀乎羽④之野。
汝何博謇⑤而好修兮，纷独有此姱节？
薋菉葹⑥以盈室兮，判独离而不服⑦。
众不可户说⑧兮，孰云察余⑨之中情？

世并举而好朋[10]兮,夫何茕独而不予听[11]?"

【注释】

①女媭(xū):传说为屈原的姐姐。婵媛(chán yuán):因说话气愤着急而喘息的样子。

②申申:再三地,反反复复地。詈(lì):责备。

③鲧(gǔn):传说是夏禹的父亲,因治理洪水失败,被虞舜放逐到羽山之野,死在那里。婞(xìng):刚直。亡身:即忘身,不顾个人安危。

④殀(yāo):死。乎:于。羽:羽山,神话中的地名。

⑤博:广泛,多方面。謇:直言。

⑥薋(cí):堆积。菉(lù):草名,即王刍。葹(shī):草名,即苍耳。

⑦判:与众不同。服:佩带。

⑧户说:各家各户地解说。

⑨孰:谁。余:咱们。

⑩并举:互相抬举。好朋:喜欢成群结党。

⑪茕(qióng)独:孤独。不予听:"不听予"的倒装。

【译文】

女媭她急得气喘心痛,唠唠叨叨一声声把我指责。

她说:

"鲧因刚直而忘身,结果惨死于羽山的原野。

你为什么要进忠言而又爱好修身,独自坚守崇高品节?

满屋子已经堆满了恶花秽草,唯独你不愿佩带实在太天真。

众人的误会不可能挨家挨户一一说明,又有谁会体察咱们的内心?

世人都在互相吹捧结党营私,你为什么连我的话半句都不愿听?"

【原文】

依前圣以节中[1]兮，喟凭心而历兹[2]。
济[3]沅、湘以南征兮，就重华[4]而陈辞：

"启《九辩》与《九歌》[5]兮，夏康娱[6]以自纵。
不顾难以图后[7]兮，五子用失乎家衖[8]。

羿淫游以佚畋[9]兮，又好射夫封狐[10]。
固乱流其鲜终[11]兮，浞又贪夫厥家[12]。

浇身被服强圉[13]兮，纵欲而不忍。
日康娱而自忘[14]兮，厥首用夫颠陨[15]。

夏桀之常违[16]兮，乃遂焉[17]而逢殃。
后辛之菹醢[18]兮，殷宗[19]用而不长。

汤、禹俨而祗[20]敬兮，周论道而莫差。
举贤而授能兮，循绳墨而不颇。

皇天无私阿[21]兮，览民德焉错辅[22]。
夫维圣哲以茂行[23]兮，苟得用此下土[24]。

瞻前而顾后兮，相观民之计极[25]。
夫孰非义而可用兮？孰非善而可服[26]？

阽余身而危死[27]兮，览余初[28]其犹未悔。
不量凿而正枘[29]兮，固前修以菹醢。

曾歔欷余郁邑[30]兮，哀朕时之不当。
揽茹[31]蕙以掩涕兮，沾余襟之浪浪[32]。”

【注释】

①节中：不偏不倚，公正地判断是非曲直。

②喟(kuì)：叹息。凭：愤懑。历：经历，遭遇。兹：此。

③济：渡。

④就：投向。重华：舜的名字。

⑤启：夏启，禹的儿子，传说中夏朝的国君。《九辩》、《九歌》：乐曲名，古代神话中说是夏启从天帝处取得。

⑥夏：夏启。康娱：寻欢作乐。

⑦顾难：看到危难。图后：考虑以后的事。

⑧五子：夏启的五个儿子。用失乎：因而。家衖：内讧，内乱。传说夏启五个儿子被贬在观地，称“五观”。夏启十年至十一年间，“五观”发动叛乱。乱平以后，夏启最小的儿子武观被放逐到西河。夏启十五年，武观又在西河叛乱。这里“五子家衖”是兼指前后两次叛乱。

⑨羿(yì)：传说中夏代有穷国的君主，曾起兵推翻夏启之子太康。淫、佚：均为过度的意思。畋(tián)：打猎。

⑩射：用射箭来象征性交。封狐：大狐。

⑪乱流：淫乱之辈。鲜：少。终：结果，下场。

⑫浞(zhuó)：寒浞，传说是羿的相，因贪恋羿妻，勾结羿的家臣逢蒙将羿杀死。厥(jué)：其，指羿。家：家室，妻子。

⑬浇(ào):寒浞之子。被服:披服。强圉(yǔ):强御,强暴有力。
⑭日:天天。自忘:忘乎所以。
⑮用:因。颠陨(yǔn):坠落。
⑯常违:违常,违背常理。
⑰遂焉:终于。于省吾认为"遂"应读作"坠",坠落的意思。
⑱后:君王。辛:殷纣王。菹醢(zū hǎi):古代把人剁成肉酱的一种酷刑。
⑲殷宗:殷朝的宗祀,指殷商王朝。
⑳汤、禹:商汤和夏禹。俨(yǎn):严肃。祗(zhī):敬。
㉑阿:偏袒、袒护。
㉒民德:人的品德。错:通"措"。辅:扶助。
㉓哲:智。茂行:盛德之行。
㉔苟得:才能够。用:享用。下土:国土。
㉕相观:观察。计:生计。极:终极。
㉖服:行。
㉗阽(diàn):临近危险。危死:濒临死亡。
㉘初:初衷。

㉙凿(záo):榫眼。正枘(ruì):方榫头。
㉚曾:屡次。歔欷(xū xī):抽泣声。郁邑:苦闷。
㉛茹:柔软。
㉜沾:浸湿。浪浪:泪流不止的样子。

【译文】

遵循着先圣的遗训来修身厉行,现实的遭遇使我悲愤填膺!

渡过沅水湘江朝南行,我要找虞舜陈述一片丹心:

“夏后从上天偷回《九辩》和《九歌》,到凡间纵情作乐恣意荒淫。

不居安思危不顾及后果,他的五个儿子因而内讧叛乱。

后羿也爱好田猎,溺于游乐,一味沉迷于射杀那些猛兽和珍禽。

本来淫乱之辈就少有善终,他的国相寒浞杀了他,又夺了他的老婆!

寒浞之子过浇依仗自己健壮的体格,放纵情欲而不肯控制自己。

他每日寻欢作乐得意忘形,终被少康砍掉了脑袋。

夏桀经常违背正道,终于落得个亡国丧身。

殷纣把自己的忠良剁成肉酱,他的王位因此颠陨。

成汤和大禹都严明而又谨慎,周文武王都任法而讲仁。

他们都凭德才选用贤臣,遵守法度而不差毫分。

皇天啊!光明正大不存私偏爱,看见有德的人就设法让他成为辅弼之臣。

只有那德行高迈的圣人贤哲,方才让他享有天子那样的尊称!

回顾前王而又观省后代,再仔细考察天下的民情。

不曾有过不义的人可以重用,不曾有过不善的事可以推行。

即使死神已经向我步步逼近,回想起初衷我也毫无悔恨。

怎能将方榫塞进圆孔啊,古代的贤者正因此而碎骨粉身!

我泣不成声，满心悲伤，哀叹自己是这样生不逢辰。
拔一把柔软的蕙草揩拭眼泪，眼泪涟涟沾湿了我的衣襟。”

【原文】

跪敷衽[1]以陈辞兮，耿吾既得此中正[2]。
驷玉虬以乘鹥[3]兮，溘埃风[4]余上征。

朝发轫于苍梧[5]兮，夕余至乎县圃[6]。
欲少留此灵琐[7]兮，日忽忽其将暮。

吾令羲和弭节[8]兮，望崦嵫[9]而勿迫。
路曼曼其修[10]远兮，吾将上下而求索。

饮余马于咸池[11]兮，总余辔乎扶桑[12]。
折若木[13]以拂日兮，聊逍遥以相羊[14]。

前望舒[15]使先驱兮，后飞廉使奔属[16]。
鸾皇为余先戒[17]兮，雷师告余以未具[18]。

吾令凤鸟飞腾兮，继之以日夜。
飘风屯其相离[19]兮，帅云霓而来御[20]。

纷总总其离合[21]兮，斑陆离其上下[22]。
吾令帝阍开关[23]兮，倚阊阖[24]而望予。

时暧暧[25]其将罢兮，结[26]幽兰而延伫。
世溷浊[27]而不分兮，好蔽美[28]而嫉妒。

【注释】

①敷：铺开。衽(rèn)：衣襟。

②耿：光明。中正：正道。

③驷(sì)：驾。玉虬(qiú)：佩玉饰的虬。虬：传说中的一种龙。鹥(yī)：凤凰一类的鸟。

④埃风：夹着尘埃的大风。

⑤轫(rèn)：停车时阻止车轮滑动的木头。发轫：拿掉阻止车轮的木头，使车前进，意为启程出发。苍梧：九嶷山。

⑥县圃：神话中的地名，传说在昆仑山。县：古为"悬"字。

⑦灵琐：神灵所居的门。琐：门上雕刻的花纹，代指门。

⑧羲(xī)和：神话中为太阳神的驾车者。弭(mǐ)：停。节：鞭。

⑨崦嵫(yān zī)：神话中的日落之山。

⑩曼曼：通"漫漫"，路途漫长。修：长。

⑪咸池：神话中太阳出来时洗澡的天池。

⑫总：系。辔(pèi)：缰绳。扶桑：神话中长在东方日出处的大树。

⑬若木：神话中长在西方日落处的大树。

⑭聊：姑且。相羊：通"徜徉(cháng yáng)"，徘徊。

⑮望舒：月神。

⑯飞廉：风神。属(zhǔ)：跟随。

⑰鸾(luán)：形态像凤一类的鸟。皇：通"凰"，雌凤。先戒：走在前面警戒。

⑱雷师：雷神。未具：未准备好。

⑲飘风：旋风。屯：聚集。离：通"丽"，附着。

⑳帅：通“率”。云霓：云霞。御：通“迓(yà)”，迎接。
㉑纷总总：纷然杂聚的样子。离合：忽离忽合。
㉒斑陆离：色彩斑斓的样子。上下：忽高忽低，飘移不定。
㉓帝阍(hūn)：天帝的看门人。阍：守门人。关：本义是门闩，此指天门。
㉔阊阖(chāng hé)：天门。
㉕暧(ài)暧：昏暗的样子。
㉖结：编结，打结。
㉗溷(hùn)浊：混浊。
㉘美：指有才能的人。

【译文】

我跪在铺开的衣襟上倾诉衷肠，中正之道在我心中闪亮。
凤凰为车，白龙为马，御着那飘忽的长风我飞向天上。
清晨，我从那南方的苍梧之野启程；傍晚，我到昆仑山下的悬圃卸妆。
我本想在灵琐稍憩片刻，无奈太阳下沉，暮色已苍茫。
我叫那羲和按节徐行，不要急急地驰向崦嵫山畔。
前面的路程遥远而又漫长，我要上天下地到处去寻觅心中的太阳。
我让龙马在咸池痛饮琼浆，我把马缰拴在扶桑树上。
折几枝若木去拂拭日边的荫翳，我暂且在这里休息徜徉。

我派月神在前面充当向导，让风神在后面紧紧跟上。
鸾鸟与凤凰为我在前面警戒开道，雷师却说还没有安排停当。
我命令凤鸟展翅飞腾，夜以继日地向九天翱翔。
旋风积聚着力量，率领着云霓向我迎上。
云霓越聚越多，忽离忽合，五光十色上下左右飘浮荡漾。
我叫守卫把天门打开，他却靠着天门冲我张望。
这时候日色已经昏暗，我扭结着幽兰久久地在那里盘桓。
这个世道浑浊善恶不分，总爱嫉妒他人之才、掩盖他人之长。

【原文】

朝吾将济于白水[①]兮，登阆风而緤[②]马。
忽反顾以流涕兮，哀高丘之无女[③]。

溘吾游此春宫[④]兮，折琼枝以继佩。
及荣华[⑤]之未落兮，相下女之可诒[⑥]。

吾令丰隆[⑦]乘云兮，求宓妃[⑧]之所在。

解佩纕以结言[9]兮，吾令蹇修以为理[10]。

纷总总[11]其离合兮，忽纬繣其难迁[12]。
夕归次于穷石[13]兮，朝濯发乎洧盘[14]。

保厥[15]美以骄傲兮，日康娱以淫游。
虽信美而无礼兮，来违弃[16]而改求。

览相观于四极[17]兮，周流[18]乎天余乃下。
望瑶台之偃蹇[19]兮，见有娀之佚女[20]。

吾令鸩[21]为媒兮，鸩告余以不好。
雄鸠之鸣逝[22]兮，余犹恶其佻[23]巧。

心犹豫而狐疑兮，欲自适而不可[24]。
凤皇既受诒[25]兮，恐高辛[26]之先我。

欲远集而无所止[27]兮，聊浮游[28]以逍遥。
及少康之未家[29]兮，留有虞之二姚[30]。

理弱而媒[31]拙兮，恐导言之不固[32]。
世溷浊而嫉贤兮，好蔽美而称恶。

闺中既以邃远[33]兮，哲王又不寤[34]。
怀朕情而不发[35]兮，余焉能忍而与此终古[36]？

【注释】

①白水:神话里的水名,源于昆仑山,饮后可得长生。

②阆(làng)风:神话中的地名,在昆仑山上。緤(xiè):拴,系。

③高丘:即阆风。女:神女。

④春宫:神话中春神的仙官。

⑤荣华:花的通称。

⑥下女:指下文的宓妃等人。因相对于高丘神女而言,故称下女。诒(yí):通"贻",赠给。

⑦丰隆:云神。

⑧宓(fú)妃:相传古帝伏羲之女,因溺死于洛水,而成为洛水女神。

⑨结言:订约。

⑩蹇(jiǎn)修:人名,诗人假设的人物。理:媒人。

⑪纷总总:形容情况迷乱,不明朗。

⑫纬繣(huà):态度别扭,不相投合。难迁:难以改变。

⑬次:住宿。穷石:地名。

⑭濯(zhuó):洗。洧(wěi)盘:神话中水名,源于崦嵫山。

⑮保:恃,仗。厥:其,指宓妃。

⑯来:招呼之词。违弃:丢开,抛弃。

⑰览、相、观:均为看的意思。四极:四方极远的地方。

⑱周流:周游。

⑲瑶台:玉台,华贵的建筑。偃(yǎn)蹇:高耸的样子。

⑳有娀(sōng):古代传说中的国名。佚女:美女。有娀之佚女,即帝喾(kù)之妃简狄。古代传说有娀氏简狄住在瑶台上,后来嫁给帝喾,生契。契是商朝始祖。

㉑鸩(zhèn):传说中的一种毒鸟,羽毛置酒中,即能致人死命。

㉒鸠：斑鸠。逝：飞走。
㉓佻(tiāo)：轻佻。
㉔适：往。不可：于礼不可。
㉕诒：礼物，聘礼。
㉖高辛：帝喾即位后用的称号。
㉗集：栖止。止：居留。
㉘浮游：游荡。
㉙少康：夏代中兴的君主，夏相的儿子。夏相被浇所杀，少康逃到有虞国，有虞国君将两个女儿嫁给他。后来少康灭了浇，恢复了夏的政权。未家：没有成家。
㉚有虞：国名，姚姓。二姚：指有虞国君的两个女儿。
㉛理、媒：均指媒人。
㉜导言：传递言语。固：牢固。
㉝闺：旧称女子的居室。邃远：深远。
㉞哲王：明智之王，指楚怀王。寤：醒悟。
㉟发：抒发，表现。
㊱焉：何，怎么。终古：永远。

【译文】

清晨，我渡过昆仑山下的白水，把龙马拴在阆风山上。
猛回首我眼泪潸潸，伤心这高山上竟没有美妙的女郎。
我匆匆地游到了东方的春宫，折下玉树琼枝插在我的兰佩上。
趁着这瑶花还未凋谢，我要到下界送给心爱的女郎。
我吩咐丰隆驾起彩云，去寻找宓妃幽静的门巷。
我解下兰佩寄托自己的一片深情，请那蹇修当我的媒人。

宓妃她开始对我还若即若离，突然间却对我冷若冰霜。

晚上她到穷石同后羿同居，清晨她又在洧磐河把头发梳晾。

她自矜貌美，满脸高傲，整天在外纵情放荡。

即使她长得的确很美，可待人实在太没修养，我只好放弃她另谋新欢。

我周游了九霄，观察了八荒，回到了熙熙攘攘的下方。

望见高耸华丽的玉台，看见了有娀氏的美女简狄，她真是举世无双。

我托鸩鸟为我说谋，它却撒谎说简狄不良。

那雄斑鸠一边飞翔一边高叫，我想托付它又嫌它更不端庄。

我的心里踌躇而又狐疑，想自己亲往又觉得不好向她启齿开腔。

虽然凤凰已经为我送去了聘礼，我又怕帝喾与我争抢。

我想到远方栖身又怕没有容身的地方，只好在此到处逍遥，随处飘荡。

趁着少康尚未成家，留下了有虞氏两位美丽的姑娘。

一想到使者这般软弱，媒人这样笨拙，我真怕他传达不了自己的九曲衷肠。

这世道实在太混浊，总喜欢掩盖美德，嫉妒贤良。

那王室的内宫是如此幽深，明智的君王又始终不肯醒来端详。

满怀着忠贞之情却又不能对你面讲，我怎能忍受痛苦的折磨，直到永远。

【原文】

索藑茅以筳篿[①]兮，命灵氛[②]为余占之。
曰：
“两美其必合兮，孰信修而慕之？
思九州[③]之博大兮，岂惟是[④]其有女？”

曰：

“勉[5]远逝而无狐疑兮，孰求美而释女[6]？

何所独无芳草兮，尔何怀乎故宇[7]？”

世幽昧以昡曜[8]兮，孰云察余之善恶？

民好恶其不同兮，惟此党人其独异！

户服艾以盈要[9]兮，谓幽兰其不可佩。

览察草木其犹未得兮，岂珵美之能当[10]？

苏粪壤以充帏[11]兮，谓申椒其不芳。

【注释】

①索：索取。藑(qióng)茅：一种占卜用的茅草。筳篿(tíng zhuān)：算卦

用的竹片。

②灵:巫。氛:巫的名。传说巫氛是上古的神巫,诗中假设请他来算卦。

③九州:泛指天下。

④是:此,此地,指楚国。

⑤曰:古书中同一个人说的话,中间往往再用曰字。一说此曰以下才是灵氛所说,以上四句是吾的问卜之词。勉:努力。

⑥释:放弃。女:汝,指屈原。

⑦故宇:旧居。

⑧眩曜(xuàn yào):眼花迷乱。

⑨艾:艾草。要:通“腰”。

⑩珵(chéng):美玉。当:得当。

⑪苏:取。充:塞满。帏(wéi):佩在身上的香囊。

【译文】

我索来占卜用的灵草与竹枝,请神巫灵氛为我解释疑团。

卜问:“郎才女貌一定会结成眷属,哪有真正的美人没人喜欢。

你想想九州是这样辽阔广大,难道只有这里才有云鬓玉颜?”

卜答:“快远走高飞,别迟疑挂牵,哪个真心追求美好的人会把你放弃?这世上哪里没有芳草鲜花,你为什么一定要恋着自己的家园?”

这儿世道黑暗,人妖颠倒,有谁能辨别出邪恶与良善?

人们的好恶本来就各不相同,只是那些党人总是与世人相反,他们户户都将恶草系满腰间,反而说幽香的兰草不可佩在身边。

香花恶草他们都不会鉴别,那美玉他们又怎能正确评判?

他们将污土填满自己的佩囊,反而说簇簇花椒并不芬芳。

【原文】

欲从灵氛之吉占兮，心犹豫而狐疑。
巫咸将夕降[①]兮，怀椒糈而要[②]之。

百神翳其备[③]降兮，九嶷[④]缤其并迎。
皇剡剡其扬灵[⑤]兮，告余以吉故[⑥]。

曰：
“勉升降以上下兮，求榘矱[⑦]之所同。
汤、禹俨而求合兮，挚咎繇而能调[⑧]。
苟中情其好修兮，又何必用夫行媒？
说操筑于傅岩[⑨]兮，武丁[⑩]用而不疑。

吕望之鼓刀[⑪]兮，遭周文[⑫]而得举。
宁戚[⑬]之讴歌兮，齐桓闻以该辅[⑭]。

及年岁之未晏[⑮]兮，时亦犹其未央[⑯]。
恐鹈鴃[⑰]之先鸣兮，使夫百草为之不芳。”

【注释】

①巫咸：殷代的神巫，名咸。降：降神。祀神一般都在晚上，所以称为“夕降”。
②怀：揣善。糈(xǔ)：精米，祭神所用。要：邀。
③翳(yì)：遮蔽，形容神多。备：全都。
④九嶷：指九嶷山诸神。

⑤皇剡(yǎn)剡:光闪闪。扬灵:神灵显现。

⑥吉故:吉利的故事,指下文所述君臣遇合的事例。

⑦榘:通“矩”。矱(yuē):量长短的工具。榘矱比喻准则。

⑧挚(zhì):即伊尹,传说是汤的贤相。咎繇(yáo):即皋陶,传说是舜的贤臣。调:协调,和谐。

⑨说(yuè):傅说,殷高宗的贤相。操:拿着。筑:筑墙的木棒。傅岩:地名。

⑩武丁:殷高宗名。相传武丁梦中得贤臣,后来在刑徒中发现傅说与梦中贤臣形貌相符,便用他为相,于是殷大治。

⑪吕望:即吕尚,俗称姜太公,曾被称为太公望,所以又叫吕望。鼓刀:敲刀发声,招揽生意。传说姜太公曾在殷都当过屠夫,宰牛为生,后遇周文王而被重用。

⑫周文:周文王。

⑬宁戚:春秋卫国人,传说他经商于齐,齐桓公夜出,见其正在喂牛并敲牛角唱歌,倾诉自己怀才不遇。桓公知其为贤人,便用他为卿。

⑭齐桓:齐桓公,春秋前期齐国君主。该辅:预备作为辅佐大臣。

⑮晏:迟,晚。

⑯央:尽。

⑰鹈鴂(tí jué):鸟名,又名伯劳、杜鹃、子规。

【译文】

我想听从灵氛的卦辞,可心里却犹豫而狐疑。

今晚巫咸将要从天上降临,我怀着花椒祭米去求神。

啊!天上诸神遮天蔽日齐降,九嶷山上的众神纷纷前来相迎。

他们灵光闪闪地显示着神异,那巫咸又告诉我将要大吉大利。

他说："你应该努力上下求索，按照原则去选择意气相同的同志。
商汤、夏禹都严格地选拔贤才，伊尹和皋陶因此能做他们的辅弼。
只要你真正爱好修洁，又何必到处去求人托媒说合？
傅说曾经在傅岩做过泥木工，武丁重用他而不生疑。
姜太公在朝歌操过屠刀，遇上周文王就大展才气。
宁戚放牛时引吭高歌，齐桓公听了把他看做国家的柱石。
趁你年华还未衰老，施展才华还有大好的时机。
当心那伯劳鸟叫得太早，使得百草从此失去了芳菲。"

【原文】

何琼佩之偃蹇[①]兮，众薆然[②]而蔽之。
惟此党人之不谅[③]兮，恐嫉妒而折[④]之。

时缤纷[⑤]其变易兮，又何可以淹留[⑥]？
兰芷变而不芳兮，荃蕙化而为茅。

何昔日之芳草兮，今直为此萧[⑦]艾也？
岂其有他故兮，莫好修之害也！

余以兰为可恃[⑧]兮，羌无实而容长[⑨]。
委厥[⑩]美以从俗兮，苟得列乎众芳。

椒专佞以慢慆[⑪]兮，榝[⑫]又欲充夫佩帏。
既干进而务入[⑬]兮，又何芳之能祗[⑭]？

固时俗之流从[15]兮，又孰能无变化？
览椒兰其若兹[16]兮，又况揭车与江离[17]？

惟兹佩[18]之可贵兮，委厥美而历兹[19]。
芳菲菲而难亏兮，芬至今犹未沫[20]。

和调度[21]以自娱兮，聊浮游而求女。
及余饰之方壮兮，周流观乎上下。

【注释】

①琼佩：玉佩，比喻美德。偃蹇：这里是高卓的意思。
②薆(ài)然：因遮蔽而变暗。
③谅：信赖。
④折：摧损。
⑤缤纷：纷乱。
⑥淹留：久留。
⑦直：简直。萧：一种蒿草。

⑧可恃：可靠。

⑨容长：外表好看。

⑩委：弃。厥：其。

⑪专：专横。佞(nìng)：谄媚。慢慆(tāo)：傲慢。

⑫榝(shā)：茱萸一类的草。

⑬干进、务入：均指钻营、向上爬。

⑭祗(zhī)：敬重、看重。

⑮流从：从流，随波逐流。

⑯若兹：如此。

⑰揭车、江离：均为香草名。

⑱兹佩：此佩，喻自己的品德。

⑲委：丢弃，这里是遭人抛弃的意思。历兹：以至于此。

⑳沬(mèi)：通"昧"，暗淡。

㉑和：调节使之和谐。调(diào)：佩玉发出的声响。度：有规律的步伐。

【译文】

为什么我的玉佩如此美艳，人们却要故意将它的光辉遮掩？
这些小人真是不能信赖，担心他们会出于嫉妒而将玉佩折断！
时世纷乱而且变化无常啊，我怎能在这里久久流连。
兰花与白芷都消尽了芬芳，香荃与雅蕙都化为了茅草。
为什么过去那些萋萋香草，今日竟变成了野艾臭蒿？
难道会有别的缘由可找？都只怪他们不洁身自好！
我本以为幽兰可以依靠，谁知他也虚有其表。
抛弃了自己的美质而随俗浮沉，苟且地列入这众芳之班！
花椒谄上傲下自有一套，茱萸也想钻进香佩囊里面。

他们既然只会拼命地钻营，又怎能期望它们保持美质不变？

这些世俗之徒本就趋炎附势，又有谁能在这恶劣的环境中不受污染！

香椒和兰草已经如此腐臭，更何怪那揭车与江离都已改观！

只有我这玉佩最为可贵，坚定自己的冰清玉洁直至今朝。

它馥郁勃盛，清香四溢，直到如今还未曾散去！

保持着冲和的态度，欢愉的心态，我姑且再四处神游去寻找理想的女伴。

趁着这佩饰还闪耀着璀璨的光辉，我要周游观光上天下地。

【原文】

灵氛既告余以吉占兮，历①吉日乎吾将行。
折琼枝以为羞②兮，精琼爢以为粻③。

为余驾飞龙兮，杂瑶象④以为车。
何离心之可同兮？吾将远逝以自疏。

邅⑤吾道夫昆仑兮，路修远以周流。
扬云霓之晻蔼⑥兮，鸣玉鸾之啾啾⑦。

朝发轫于天津⑧兮，夕余至乎西极。
凤皇翼其承⑨旂兮，高翱翔之翼翼⑩。

忽吾行此流沙⑪兮，遵赤水而容与⑫。
麾蛟龙使梁津⑬兮，诏西皇使涉予⑭。
路修远以多艰兮，腾众车使径待⑮。

路不周以左转兮，指西海以为期。

屯余车其千乘兮，齐玉轪[16]而并驰。
驾八龙之婉婉兮，载云旗之委蛇[17]。

抑志而弭节[18]兮，神高驰之邈邈[19]。
奏《九歌》而舞《韶》[20]兮，聊假日以媮[21]乐。

陟陞皇之赫戏[22]兮，忽临睨[23]夫旧乡。
仆夫悲余马怀[24]兮，蜷局顾[25]而不行。

乱[26]曰：
已矣哉！国无人莫我知兮，又何怀乎故都！
既莫足与为美政[27]兮，吾将从彭咸[28]之所居！

【注释】

①历：选择。

②羞：通“馐(xiū)”，美味。

③精：精选。琼靡(mí)：玉屑。粻(zhāng)：粮食。

④杂：兼用。瑶：美玉。象：象牙。

⑤邅(zhān)：转道。

⑥云霓：指旌旗。晻(yǎn)蔼：遮天蔽日的样子。

⑦玉鸾：玉铃，形如鸾鸟。啾(jiū)啾：铃声。

⑧天津：天河渡口。

⑨承：接。
⑩翼翼：整齐谐和、悠闲自得的样子。
⑪流沙：神话中的西方沙漠，那里的沙流动不停。
⑫遵：沿着。赤水：神话中的水名，源于昆仑山。容与：徘徊，缓行。
⑬麾(huī)：指挥。梁：桥梁，在此做动词，架桥。津：渡口。
⑭诏：命令。西皇：神话中的古帝少皞(hào)氏，是西方之神。涉予：渡我过去。
⑮腾：传令。径：直接。待：侍，侍卫。
⑯轪(dài)：车轮。
⑰委蛇(wēi yí)：舒卷自如的样子。
⑱弭(mǐ)：止。节：鞭。
⑲神：神思、思绪。高驰：高色。邈(miǎo)邈：遥远的样子。
⑳韶：九韶，传说是虞舜时的乐舞。
㉑假日：假借时日。媮：通“愉”，乐。

㉒陟(zhì)：上升。陞皇：初升的太阳。陞：通“升”。赫戏：大放光明的样子。

㉓临：俯临。睨(nì)：旁视。

㉔怀：思念。

㉕蜷(quán)局：卷曲不伸。顾：回头。

㉖乱：古代乐歌中结尾时的齐奏合唱部分，即尾声。楚辞源于乐歌，所以不少篇章都有“乱”词。从诗的结构来看，乱词是总括全篇要旨的话，即全篇的结语。

㉗美政：理想的政治。

㉘彭咸：相传殷朝贤大夫，因劝谏国君不被采纳，投水自尽。这句的意思是要效法彭咸投水自杀。

【译文】

灵氛已告知我占卜吉祥，选定好日子我将再出走四方。

折下琼枝做成珍馐美味啊，又舂好玉屑作为干粮。

腾飞的神龙啊，是我乘车的坐骑，我的车马，又用美玉和象牙装潢。

离心离德的人如何同行？我将远走高飞离群索居。

我将行程转向西方的昆仑，道路遥远我观景周游。

满天云霓像彩旗飘扬在九天，玉制的车铃，发出铿锵的音响。

早晨我从天河的渡口出发，黄昏我到西天徜徉。

凤凰的彩翎接连着彩旗，高飞在云天任意翱翔。

转眼间我来到这一片流沙，沿着赤水河我又从容盘桓。

我指挥蛟龙在渡口搭起桥梁，叫西皇帮助我涉过这赤水急滩。

行程如此遥远，天路这般艰难，我叫随从的车队侍候两旁。

翻过不周山峦，我们向左拐弯，那浩瀚的西海才叫人神往。

我们成千的车辆列着队伍，玉制的车轮在隆隆地轰响。

每辆车驾着八条蜿蜒的神龙，车上的云旗啊飘扬在云端。

控制着满腔的兴奋，我的心如奔马，驰向远方。

演奏着《九歌》，舞起了《九韶》，我要借这时光尽情地欢乐。

上升啊，翱翔，我刚刚升上灿烂的天宇，猛回头却望见了熟悉的故乡。

啊，我的仆人悲泣，我的马儿彷徨，它蜷曲着身子，频频回首，不肯再往茫茫的穹苍……

尾声：

算了吧！算了吧！全国没有人理解我，我又何必苦苦眷怀故乡！

既然没有人能与我一同推行美政理想，我就追随彭咸前往他的居处！

九　歌

屈　原

【内容提要】

《九歌》是屈原在民间歌谣的基础上改编润色或重新创作的一组楚人祭神娱神的乐舞歌词。

《九歌》之名来源于夏代，《离骚》中有“启《九辩》与《九歌》兮，夏康娱以自纵”。《天问》《左传》《山海经》均提到它，并说它是夏代乐歌，神话传说中说它是夏启从天帝处盗来的。其实，大约是夏朝的祭神乐歌流传到楚地民间，因而演化成楚人民间祭祀的乐舞歌词。屈原被流放沅湘流域时，见这些民间祭祀歌词较为鄙陋，于是进行了收集加工甚至重新创作。

《九歌》共十一篇，除《礼魂》外，其余十篇每篇各祭一神。这些神有三种：一种是天上的神，如《东皇太一》《云中君》《大司命》《少司命》《东君》；一种是地上的神，如《湘君》《湘夫人》《河伯》《山鬼》；一种是为国牺牲者，如《国殇》。

《九歌》精巧别致，风格清新，想象丰富，辞采绚丽，形象逼真，爱情纯挚，人神一体，情景交融。既有浓郁的民歌色彩，反映了楚地人民对神祇的敬畏颂祷之情和对幸福生活、美好爱情的祈愿；又有极高的艺术水准，融入了屈原深邃的人生感喟和拳拳的爱国情愫，有一种深切感人的力量。

东皇太一[①]

屈　原

【原文】

吉日兮辰良，穆将愉兮上皇[②]。
抚长剑兮玉珥[③]，璆锵鸣兮琳琅[④]。

瑶席兮玉瑱[⑤]，盍将把兮琼芳[⑥]。
蕙肴蒸兮兰藉[⑦]，奠[⑧]桂酒兮椒浆。

扬枹兮拊[⑨]鼓，疏缓节兮安歌，
陈竽瑟兮浩倡[⑩]。

灵偃蹇兮姣[⑪]服，芳菲菲兮满堂。
五音[⑫]纷兮繁会，君欣欣兮乐康。

【注释】

①东皇太一是太皇玉帝的意思，是楚人对最高天帝的称呼。因其祠宇设在东方，故称“东皇”；“太一”是至高无上的天神之意。这是一首由巫者合唱来迎接颂扬东皇太一的祭祀乐歌。

②穆：肃穆。愉：通“娱”，使之快乐。上皇：东皇太一。

③抚：抚握。珥(ěr)：剑鼻，在剑柄上，此指剑柄。

④璆锵(qiú qiāng)：佩玉相击之声。琳琅：美玉名。

⑤瑶：通“藤”，瑶席即藤草编的席子。玉瑱(zhèn)：压席的玉器。

⑥盍(hé)：合，集。将：举。把：持。琼芳：玉色之花。

⑦肴蒸：祭祀用的肉类菜肴。藉：衬垫。

⑧奠：祭献。

⑨枹(fú)：鼓槌。拊(fǔ)：敲击。

⑩陈：列。倡：通“唱”。

⑪灵：神灵，指东皇太一。《九歌》中的“灵”均指所祀之神。偃蹇(yǎn jiǎn)：舞姿轻盈。姣：美丽。

⑫五音：我国古代音乐的音阶，宫、商、角、徵、羽。

【译文】

美景良辰吉祥日，恭恭敬敬祭东皇。
手抚长剑握玉柄，满身玉佩响铿锵。
藤席四角放玉瑱，玉花摆设散芬芳。
香蕙裹肉兰叶垫，祭献桂酒花椒浆。
扬起鼓槌敲鼓响，节奏舒缓歌悠扬。
吹竽弹瑟高声唱。

东皇飘舞霓裳美，芳香菲菲溢满堂。
五音繁会齐鸣奏，神君欢欣又健康！

云中君[①]

屈　原

【原文】

浴兰汤兮沐[②]芳，华采衣兮若英[③]。
灵连蜷兮既留[④]，烂昭昭兮未央[⑤]。

謇将憺兮寿宫[⑥]，与日月兮齐光。
龙驾兮帝服[⑦]，聊翱游兮周章[⑧]。
灵皇皇兮既降[⑨]，猋远举[⑩]兮云中。
览冀州兮有余[⑪]，横四海兮焉穷[⑫]。
思夫君[⑬]兮太息，极劳心兮忡忡[⑭]。

【注释】

①云中君就是云神。古代神话中云神又叫丰隆或屏翳。云能化雨，雨润山川。人们渴望风调雨顺、五谷丰登，因而对云神充满敬仰和思慕。诗歌用云的特征描绘云神形象。在赞颂云神之中，倾注了人们对他深深的眷恋之情。这是一篇以女巫迎神的语气而唱的祭祀乐歌。
②沐：洗发。古人祭祀前必须斋戒，用兰汤沐浴。
③华采：色彩艳丽。英：花。
④连蜷(quán)：宛转蜷曲的样子。既留：已留在云中。

⑤烂昭昭：灿烂明亮。未央：未尽。
⑥謇(jiǎn)：发语词。憺(dàn)：安宁、安乐。寿宫：神坛，供神之处。
⑦龙驾：龙拉的车。帝服：穿天帝般的服饰。
⑧聊：暂且，姑且。周章：周游往来。
⑨皇皇：通"煌煌"，辉煌灿烂。降：从天降临。
⑩猋(biāo)：迅速。远举：高飞远走。
⑪冀州：古代中国划分为冀、兖、青、徐、扬、荆、豫、梁、雍九州，冀州为九州之首，常用以代指中国。有余：指云神视野超出中国。
⑫四海：古人认为中国周边有东、西、南、北四海包围，横四海即指飞行天下。焉：何。穷：穷尽，止境。
⑬夫：语气词。君：指云神。
⑭劳心：忧心。忡(chōng)忡：忧虑不安。

【译文】

我兰汤洗浴啊，芳水沐发，华丽衣裳啊，美如鲜花。

云神翩跹啊，留连云端，光明灿烂啊，无比辉煌。

神将安享啊，寿宫之上，要与日月啊，同放光芒。

驾驭龙车啊，身着帝服，姑且遨游啊，盘桓四方。

神灵煌煌啊，已经降临，忽又远翔啊，回到云中。
俯瞰中国啊，一览无余，横越四海啊，无穷无尽。
思念神君啊，长声叹息，忧心忡忡啊，寸断柔肠。

湘　君[1]

屈　原

【原文】

君不行兮夷犹，蹇谁留兮中洲[2]？
美要眇兮宜修，沛吾乘兮桂舟[3]。
令沅湘兮无波[4]，使江水兮安流。
望夫君兮未来，吹参差兮谁思[5]？

驾飞龙兮北征，邅吾道兮洞庭[6]。
薜荔柏兮蕙绸，荪桡兮兰旌[7]。
望涔阳兮极浦，横大江兮扬灵[8]。
扬灵兮未极，女婵媛兮为余太息[9]！
横流涕兮潺湲，隐思君兮陫侧[10]。

桂棹兮兰枻，斲[11]冰兮积雪。
采薜荔兮水中，搴芙蓉兮木末[12]。
心不同兮媒劳，恩不甚兮轻绝[13]。
石濑兮浅浅，飞龙兮翩翩[14]。
交不忠兮怨长，期不信兮告余以不闲[15]。

朝骋骛兮江皋，夕弭节兮北渚[16]。
鸟次兮屋上，水周[17]兮堂下。
捐余玦兮江中，遗余佩兮醴[18]浦。
采芳洲兮杜若，将以遗兮下女[19]。
时不可兮再得，聊逍遥兮容与[20]。

【注释】

①传说帝舜继承帝尧的王位后，治理洪水，平定天下，之后巡视南方，死于苍梧之野，葬在九嶷山。舜的妃子娥皇和女英，是尧的两个女儿，起初没有随舜南巡，后赶到洞庭湖的君山，闻知舜已死，便南望痛哭，泪洒斑竹，随之投湘水殉节，化为湘水女神，号湘夫人。因为苍梧和九嶷是湘水发源地，舜便化为湘水男神，号湘君。这个凄婉动人的爱情故事深深地感动着湘江两岸的楚国人民，他们把湘君和湘夫人当作心目中崇拜的湘水配偶神，进行祭祀歌颂。《湘君》与《湘夫人》是姊妹篇。《湘君》是女巫饰湘夫人所唱的思慕湘君的歌词。

②君：指湘君。夷犹：犹豫。蹇：楚语中的发语词。谁留：为谁而留。中洲：洲中。洲是水中陆地。

③要眇(yāo miǎo)：眯目媚视，形容目光流盼，美好的样子。宜修：修饰得恰到好处。沛：顺流而下，畅通无阻的样子。桂舟：用桂木造的船。此句写驾快船去接湘君。

④沅湘：沅水和湘水，均在今湖南省。无波：不生波浪。

⑤夫(fú)：语气助词。参差：吹奏乐器，排箫。谁思：思谁。

⑥飞龙：指快船名。北征：北行。邅(zhān)：转，指改变航向。洞庭：洞庭湖。此句说：转道洞庭湖北行。

⑦薜荔(bì lì):香草名。柏:即“箔”,帘子。蕙:兰草类,亦名薰草、佩兰。荪(sūn):溪荪,香草名。桡(ráo):船桨。旌:旗。此二句说:飞龙船上的华美装饰。

⑧涔(cén)阳:地名,在涔水北岸,今湖南澧县有涔阳浦,在洞庭湖和长江之间。极浦:遥远的水边。浦,水滨、水滩。横大江:横渡长江。扬灵:显扬自己的精诚。灵:指精诚。

⑨未极:未至,未到达。女:侍女。婵媛(chán yuán):关心痛恻的样子。余:我。太息:长长地叹息。

⑩横:横溢。潺湲(chán yuán):比喻泪流不止的样子。隐:暗暗地。陫侧(fěi cè):通“悱恻”,内心悲痛。

⑪棹(zhào):长的船桨。枻(yì):短桨。斲:砍。江水冻结,上有积雪,须用棹、枻破冰开道。

⑫搴(qiān):拔。芙蓉:莲花。木末:树梢。薜荔长于陆地,芙蓉生于水中。水中采薜荔,树上采芙蓉,比喻徒劳无功。

⑬媒:媒人。此句说:心意不同,媒人奔走也是徒劳。恩不甚:恩情不深。轻绝:轻易断绝。

⑭濑(lài):沙石间的流水。浅浅(jiān):水流得很快的样子。翩翩:轻快的样子。

⑮交不忠:指湘君与己相交不忠。怨长:怨恨久长。期:约会。不信:不守信,不践约。

不闲：不得空闲。

⑯骋：马直驰。骛：马乱驰。皋(gāo)：水旁高地。弭(mǐ)：停。节：鞭。渚(zhǔ)：水中小洲。

⑰次：停宿。周：环绕。

⑱捐：弃。玦(jué)：环形而有缺口的佩玉。这两句写湘夫人把玦和佩抛入水中，表示决绝。

⑲芳洲：长有芳草的水洲。杜若：香草名。遗(wèi)：赠送。下女：地位低下的女子，即侍女。

⑳时不可兮再得：时间不会倒流。聊：姑且。容与：徘徊，漫步。

【译文】

湘君啊你犹豫不走，因谁停留在水中的沙洲？

为你打扮好美丽的容颜，我在急流中驾起桂舟。

下令沅、湘风平浪静，还让江水缓缓而流。

盼望你来你却没来，吹起排箫为谁思情悠悠。

驾起龙舟向北远行，转道去了优美的洞庭。

用薜荔作帘蕙草作帐，用香荪饰桨木兰饰旌。

眺望涔阳遥远的水边，大江也挡不住飞扬的心灵。

飞扬的心灵无处安止，多情的侍女为我发出叹息。

眼泪纵横滚滚而下，想起你啊悱恻伤神。

玉桂制长桨木兰作短楫，划开水波似凿冰堆雪。

想在水中把薜荔摘取，想在树梢把荷花采撷。

两心不相同空劳媒人，相爱不深感情便容易断绝。

清水在石滩上湍急地流淌，龙船掠过水面轻盈迅捷。

不忠诚的交往使怨恨深长，不守信却对我说没空赴约。

早晨在江边匆匆赶路，傍晚把车停靠在北岸。
鸟儿栖息在屋檐之上，水儿回旋在华堂之前。
把我的玉环抛向江中，把我的佩饰丢在澧水畔。
在流芳的沙洲采来杜若，想把它送给陪侍的女伴。
流失的时光不能再得，暂且放慢脚步逍遥盘桓。

湘夫人①

屈　原

【原文】

帝子降兮北渚，目眇眇②兮愁予。
袅袅兮秋风，洞庭波兮木叶③下。
白薠兮骋望，与佳期兮夕张④。
鸟何萃兮蘋中？罾⑤何为兮木上？

沅有茝兮澧有兰，思公子⑥兮未敢言。
荒忽兮远望，观流水兮潺湲⑦。

麋何食兮庭中？蛟何为兮水裔⑧？
朝驰余马兮江皋，夕济兮西澨⑨。
闻佳人兮召予，将腾驾兮偕逝⑩。

筑室兮水中，葺之兮荷盖⑪。
荪壁兮紫坛，播芳椒兮成⑫堂。

桂栋兮兰橑，辛夷楣兮药[13]房。
罔薜荔兮为帷，擗蕙櫋兮既张[14]。
白玉兮为镇，疏石兰[15]兮为芳。
芷葺兮荷屋，缭之兮杜衡[16]。

合百草兮实庭，建芳馨兮庑[17]门。
九嶷缤兮并迎，灵[18]之来兮如云。

捐余袂兮江中，遗余褋[19]兮澧浦。
搴汀洲兮杜若，将以遗[20]兮远者。
时不可兮骤得，聊逍遥兮容[21]与。

【注释】

①这首诗歌是湘君思念湘夫人之词。由男巫扮演湘君演唱。

②帝子：天帝的女儿，指湘夫人。传说为尧帝之女。渚：水边或水中浅滩。眇眇：向远看的样子。

③袅袅：风力微弱的样子。波：动词，起水波。木叶：树叶。

④登：此字原无，据朱熹《楚辞集注》补。薠(fán)：秋生水草。骋望：放眼远望。佳：佳人，指湘夫人。期：约会。张：张设罗帐。

⑤萃(cuì)：聚集。蘋：水草。罾(zēng)：渔网。

⑥沅：沅水。澧：澧水。公子：指湘夫人。古代贵族称公族，贵族子女不论性别都可称公子。

⑦荒忽：恍惚，迷迷糊糊的样子。潺湲(chán yuán)：水慢慢流动的样子。

⑧水裔(yì)：水边。

⑨江皋：江边。济：渡水。澨(shì)：水边。

⑩偕逝：同往。

⑪葺(qì)：编草盖房子。此泛指盖屋顶。

⑫荪：香草名。紫：紫贝。坛：中庭。播：散布。芳椒：芳香的椒树子。成：通“盛”，充满。

⑬栋：屋梁。橑(lǎo)：屋椽。辛夷：香木名，又叫做木笔。楣(méi)：门上的横梁。药：香草名，即白芷。

⑭罔：通“网”，作动词，编结。薜荔(bì lì)：香草名。帷：帐的四边。擗(pì)：剖开。櫋(mián)：屋檐板。既张：已经张挂好了。

⑮镇：压席子的东西。疏：散布。石兰：香草名。

⑯芷：香草名。缭：缠绕。杜衡：即杜若，香草名。

⑰合：汇集。百草：各种香草。实：充满。馨：散布较远的香气。庑(wǔ)：厢房。

⑱九嶷：山名，在湖南，这里指山神。缤：众多。灵：指湘夫人。

⑲袂(mèi)：衣袖。褋(dié)：汗衫。

⑳搴(qiān)：采摘。汀(tīng)：水中平地。遗(wèi)：赠送。

㉑骤：轻易，一下子。兮容：从容自在的样子。

【译文】

美丽的公主快要来到北岸，我已忧愁满怀望眼欲穿。

凉爽的秋风阵阵吹来，洞庭湖波浪翻涌树叶飘旋。

登上长着白薠的高地远望，与她定好约会准备晚宴。
为何鸟儿聚集在水草间，为何渔网悬挂在大树巅？
沅水有白芷澧水有幽兰，眷念着公主却不敢明言。
放眼展望一片空阔苍茫，只见清澈的流水潺潺。
为何山林中的麋鹿觅食庭院，为何深渊里的蛟龙搁浅水边？
早晨我骑马在江边奔驰，傍晚就渡水到了西岸。
好像听到美人把我召唤，多想立刻驾车与她一起向前。
在水中建座别致的宫室，上面用荷叶覆盖遮掩。
用香荪抹墙紫贝装饰中庭，厅堂上把香椒粉撒满。
用玉桂作梁木兰为椽，辛夷制成门楣白芷点缀房间。
编织好薜荔做个帐子，再把蕙草张挂在屋檐。
拿来白玉镇压坐席，摆开石兰芳香四散。
白芷修葺的荷叶屋顶，有杜衡草缠绕四边。
汇集百草摆满整个庭院，让门廊之间香气弥漫。
九嶷山的众神一起相迎，神灵的到来就像云朵满天。
把我的夹袄投入湘江之中，把我的单衣留在澧水之滨。
在水中的绿洲采来杜若，要把它送给远方的恋人。
欢乐的时光难以马上得到，暂且放慢步子松弛心神。

大司命[①]

屈原

广开兮天门，纷吾乘兮玄云[②]。
令飘风[③]兮先驱，使涑雨[④]兮洒尘。

君[5]回翔兮以下，踰空桑兮从女[6]。
纷总总兮九州，何寿夭[7]兮在予！

高飞兮安翔，乘清气兮御阴阳[8]。
吾与君兮斋速，导帝之兮九坑[9]。

灵衣兮被被[10]，玉佩兮陆离[11]。
壹阴兮壹阳，众莫知兮余所为。

折疏麻兮瑶华[12]，将以遗兮离居[13]。
老冉冉兮既极，不寖近[14]兮愈疏。

乘龙兮辚辚[15]，高驰兮冲天。
结桂枝兮延伫，羌愈思兮愁人。

愁人兮奈何！愿若今兮无亏[16]。
固人命兮有当[17]，孰离合兮可为[18]？

【注释】

①大司命是主宰世人寿夭生死的天神。人们既敬畏大司命，又渴望与他亲近，表现了世人祈求延年益寿和珍爱生命的美好愿望。这篇乐歌由迎神者唱颂。

②纷：浓密的样子。玄云：乌云。

③飘风：旋风。

④涷(dōng)雨：暴雨。

⑤君：主巫对大司命的尊称。

⑥空桑：神话中的山名。

⑦寿：长寿。夭：短命。

⑧清气：天地间清明之气。阴阳：我国古代辩证思想中两个对立的基本概念，阴代表地、柔、死……，阳代表天、刚、生……，阴阳二气的运动能促使万物发展变化。

⑨九坑：九州之山。

⑩被被：通“披披”，飘动的样子。

⑪陆离：光彩闪烁。

⑫疏麻：神麻。瑶华：玉色的花。

⑬遗(wèi)：赠。离居：离居的人，指大司命。

⑭寖(jìn)近：稍稍亲近。

⑮龙：龙车。辚辚：车声。

⑯无亏：指身体健康无损。

⑰当：定规。

⑱离合：指神和人的离别、会合。为：人为。

【译文】

赶快敞开那天宫的大门，我要乘着浓浓的乌云下来。

我命令旋风啊开路先行，命令暴雨啊洒涤道路灰尘。

司命神君盘旋着降临下界，我越过空桑山跟随你来。

九州中的芸芸众生，你们的生死如何由我决定！

我们俩高高腾飞，缓缓翱翔，乘着清气，驾御阴阳。

我愿随君，亦步亦趋，引导上帝灵威来到世上。

我身上的云衣霓裳随风飘扬，美玉佩饰斑斓生光。

一阴一阳变幻莫测，谁也不知我的名堂。
折下疏麻玉花含馨，赠给这位离居神明。
衰老之年渐渐来临，不亲近神更疏远感情。
大司命乘龙车声辚辚，高高驰骋冲向高高天空。
我们编结桂枝久久等待，愈思念您愈是伤心。
愁眉苦脸又有何用，唯愿康宁永如今天。
本来啊，人的寿命各有短长，悲欢离合谁又能主宰操纵？

少司命[①]

【原文】

秋兰兮麋芜[②]，罗生兮堂下。
绿叶兮素华[③]，芳菲菲兮袭予。
夫人自有兮美子[④]，荪[⑤]何以兮愁苦？

秋兰兮青青[⑥]，绿叶兮紫茎。
满堂兮美人，忽独与余兮目成[⑦]。

入不言兮出不辞，乘回风兮载云旗[⑧]。
悲莫悲兮生别离，乐莫乐兮新相知。

荷衣兮蕙带，倏而来兮忽而逝[⑨]。
夕宿兮帝郊[⑩]，君谁须[⑪]兮云之际？
与女[⑫]游兮九河，冲风起兮水扬波。

与女沐兮咸池，晞女发兮阳之阿[13]。
望美兮未来，临风怳兮浩歌[14]。

孔盖兮翠旍[15]，登九天兮抚彗星[16]。
竦长剑兮拥幼艾[17]，荪独宜兮为民正[18]。

【注释】

①少司命是主宰子嗣生育和儿童命运的女神。与大司命是一对。这首诗歌塑造了一位手挺长剑、怀抱幼儿、美貌善良、护佑民众的栩栩如生的女神形象。

②秋兰、麋(mí)芜：均为香草名。

③素华：素花，白花。

④夫(fú)：发语词。人：人们。美子：对他人子女的美称，古代男女均可称子。

⑤荪(sūn)：香草名，即溪荪。这里借指少司命。

⑥青青：菁菁的假借字，茂盛的样子。

⑦目成：眉目传情。

⑧回风：旋风。云旗：以云为旗。

⑨倏(shū)、忽：均表示忽然。逝：往。

⑩帝郊：天帝的郊野。

⑪须：等待。谁须：须谁。
⑫女：通“汝”。
⑬咸池：神话中的天池。晞(xī)：晒干。阳：太阳。阿(ē)：弯曲之处。阳之阿：神话中日出的旸(yáng)谷。
⑭浩歌：大声歌唱。
⑮孔盖：用孔雀毛做车盖。翠：翡翠鸟。旍：旗杆顶上的装饰。
⑯抚：降服。彗星：俗称扫帚星，传说是为害人类的灾星。
⑰竦(sǒng)：挺耸。幼艾：指儿童。
⑱荪：指少司命。宜：适合。正：主宰。

【译文】

秋兰花，麋芜芽，缠丝牵藤满堂下。
翠绿叶，洁白花，芳香菲菲飘我家。
世人自有好儿女，少司命何苦愁牵挂？
秋兰叶，青又青，绿叶扶疏映紫茎。
满堂啊，美人儿，独对我凝眸传真情。
来不言，出不辞，乘风驾云回天庭。
悲伤莫过生别离，快乐莫过知己新。
荷叶衣，蕙草带，您来去倏忽似风飘。
夜晚歇宿天帝之郊，您为谁等待在云霄？
愿与您共游九河中，大风吹来水面扬起波涛。
愿与您洗发咸池里，想看您晒发旸谷坡。
渴望美人啊你未来，临风高唱失意的歌。
孔雀车盖翠羽旌，您登上九天降彗星。
仗长剑，抱幼童，唯独您最能护百姓！

东 君[①]

【原文】

暾[②]将出兮东方，照吾槛兮扶桑。
抚余马兮安驱[③]，夜皎皎[④]兮既明。

驾龙辀兮乘雷[⑤]，载云旗兮委蛇[⑥]。
长太息兮将上，心低徊兮顾怀[⑦]。
羌声色[⑧]兮娱人，观者憺[⑨]兮忘归。

緪瑟兮交鼓[⑩]，箫钟兮瑶簴[⑪]。
鸣篪兮吹竽[⑫]，思灵保兮贤姱[⑬]。
翾飞兮翠曾[⑭]，展诗[⑮]兮会舞。
应律兮合节，灵之来兮蔽日[⑯]。
青云衣兮白霓裳[⑰]，举长矢兮射天狼[⑱]。

操余弧兮反沦降[⑲]，援北斗兮酌桂浆[⑳]。
撰余辔[㉑]兮高驰翔，杳冥冥兮以东行[㉒]。

【注释】

①东君就是太阳神。这是一首楚人祭祀和礼赞太阳神的颂歌。全诗内容如下：描写太阳神冉冉升起东方，蓝天大地曙光万丈；人们载歌载舞，百乐齐鸣，迎接赞美太阳神；太阳神高擎长箭射杀天狼，为民

祛灾驱邪；最后太阳神匆匆西降，在茫茫夜色中赶回东方。全诗由饰东君的主巫与群巫相互唱和。

②暾(tūn)：初升的太阳。

③安驱：徐缓地奔驰。

④皎皎：明亮。

⑤辀(zhōu)：车辕，此指车。乘雷：车轮滚动声响如雷。

⑥云旗：以云霞为旗。委蛇(wēi yí)：舒卷自如的样子。

⑦低徊：流连，依依不舍。顾怀：回顾怀念。

⑧声色：指日出时的奇景。

⑨憺(dàn)：安乐。

⑩緪(gēng)：紧，把弦绷紧。瑟：弹拨乐器。交鼓：相对击鼓。

⑪箫：敲击。瑶：通“摇”。簴(jù)：挂钟的木架。

⑫篪(chí)：管乐器。竽：吹奏乐器。

⑬思：发语词。灵保：指扮神的巫。姱(kuā)：美好。

⑭翾(xuān)：轻捷。翠：翠鸟。曾：展翅。

⑮展诗：陈诗，展开诗章来唱。

⑯蔽日：形容众多。

⑰青云衣：以青云为上衣。白霓裳：以白虹为下装。

⑱矢：箭。天狼：星名，古人认为它是专造灾祸的恶星。

⑲弧：弓，与矢合称弧矢星，形如弓箭。弧矢星又称天弓星。反：通“返”。沦降：降落。

⑳援：拿起。北斗：星名，形似舀酒的斗。桂浆：桂花酒。

㉑撰：持。辔(pèi)：马缰绳。

㉒杳(yǎo)：深远的样子。冥冥：黑暗。东行：古人认为，太阳白天西行，夜里又要从大地背面赶回东方。

【译文】

旭日将要跃出东方，照耀我的栏杆扶桑。
我轻抚马儿徐徐奔，夜色皎皎已现曙光。
驾龙车，声如雷，云旗招展载车上。
长叹息我将升天，心恋居处回顾彷徨。
日出景象光辉烂灿啊令人欣喜，观者流连忘返喜洋洋。
弹着瑟，击着鼓，敲钟撞得木架摇。
吹响篪管和竽笙，巫女贤淑兼美貌。
舞姿翩跹像翠鸟，齐唱共舞颂东君。
歌合律，舞合拍，众神迎接东君到。
青云衣，白霓裳，高举长箭射天狼。
我挽弓箭朝西降，端起北斗畅饮桂花琼浆。
抓紧我的马缰高高飞翔，在茫茫黑夜里赶回东方。

河　伯[1]

【原文】

与女游兮九河[2]，冲风起兮横波[3]。
乘水车兮荷盖，驾两龙兮骖螭[4]。

登昆仑[5]兮四望，心飞扬兮浩荡。
日将暮兮怅[6]忘归，惟极浦兮寤怀[7]。

鱼鳞屋兮龙堂，

紫贝阙兮朱宫。
灵[8]何为兮水中？

乘白鼋[9]兮逐文鱼，
与女游兮河之渚，
流澌[10]纷兮将来下。

子交手[11]兮东行，送美人兮南浦[12]。
波滔滔兮来迎，鱼隣隣兮媵[13]予。

【注释】

①河伯是黄河之神。河伯之名，始见于《庄子·秋水篇》。这篇祭祀黄河之神的诗歌，由男巫饰神演唱。这首诗歌表现了人们渴望与河伯建立友情以及祈望河伯不为水患、灌溉良田、保佑人民平安五谷丰登的美好愿望。

②女：汝，指河伯。九河：传说大禹治黄河，开了九条河道，这里泛指黄河众支流。

③冲风：狂风，暴风。横波：掀起大波。

④骖(cān)：古人用四马驾车，中间的两匹叫“服”，两边的两匹叫“骖”。螭(chī)：神话中的无角的龙。

⑤昆仑：古人认为是黄河的发源地。

⑥怅：通“憺(dàn)”，迷恋，安乐。

⑦惟：只。极浦：黄河涯际。寤怀：寤寐怀念的意思。

⑧阙：宫门前两边高耸的望台。朱：通“珠”。灵：这里指河伯。

⑨鼋(yuán)：一种大鳖。白鼋和文鱼是古代传说中的神异水族。

⑩流澌(sī)：融化的冰块。一说即流水。

⑪子：您，指河伯。交手：拱手，即告别之意。

⑫美人：指河伯。南浦：南方的水滨。

⑬隣隣：通“粼粼”，比次相连，形容众多。媵(yìng)：差别。

【译文】

与你同游九曲黄河，狂风骤吹洪波涌起。

乘坐水车碧荷当盖，两龙驾辕两螭作骖。

登上昆仑眺望四方，心绪飞扬神思浩荡。

日暮苍茫迷恋忘归，我只思念遥远水乡。

鱼鳞盖屋龙甲筑堂，紫贝城阙珍珠宫殿，河伯为何居水中央？

乘着白鼋追逐文鱼，和你同游黄河浅滩，流水纷纷冲将下来。
您拱手告别啊要向东而行，我送您到南方水滨。
波浪滔滔前来欢迎，鱼儿众多啊向我道别。

山　鬼[①]

【原文】

若有人兮山之阿[②]，被薜荔兮带女罗[③]。
既含睇兮又宜笑[④]，子慕予兮善窈窕[⑤]。

乘赤豹兮从文狸[⑥]，辛夷[⑦]车兮结桂旗。
被石兰兮带杜衡，折芳馨兮遗所思。

余处幽篁[⑧]兮终不见天，路险难兮独后来[⑨]。
表[⑩]独立兮山之上，云容容[⑪]兮而在下。

杳冥冥兮羌昼晦[⑫]，东风飘兮神灵雨[⑬]。
留灵修[⑭]兮憺忘归，岁既晏兮孰华予[⑮]？

采三秀兮於山[⑯]间，石磊磊兮葛[⑰]蔓蔓。
怨公子兮怅忘归，君思我兮不得闲。

山中人兮芳杜若[⑱]，饮石泉兮荫[⑲]松柏。
君思我兮然疑作[⑳]。

雷填填[21]兮雨冥冥，猿啾啾兮狖[22]夜鸣。
风飒飒兮木萧萧，思公子兮徒离[23]忧。

【注释】

①山鬼即山神，这首诗的山神指的是巫山神女。诗歌中的巫山神女美丽窈窕，温柔贤淑，凄清孤寂，多情善感；她痴心等待梦中情人，热烈向往真挚爱情。巫山神女的纯情少女形象是人间男女对爱情的追求和美好理想的反映。

②若：发语词。人：指山鬼。山之阿：山凹。阿(ē)：弯曲处。

③被：通“披”。薜荔：常绿灌木。带：以……为带子。女罗：通“女萝”，蔓生植物。

④含睇(dì)：含情微视。睇：微微斜视。宜笑：笑起来好看，自然得体。

⑤子：你，指山鬼的恋人。予：我，指山鬼自指。善：善于。窈窕：娇美的姿态。

⑥乘：驾车。从：跟随。文：通“纹”，花纹。狸：灵猫、香狸。

⑦辛夷：木兰一类的花树。

⑧幽篁(huáng)：竹林深处。篁：竹林。

⑨后来：迟到。

⑩表：突出。

⑪容容：通“溶溶”，水流的样子，此处形容云如水一般在飘浮流动。

⑫昼晦：白天昏暗。

⑬飘：风刮得很大的样子。神灵：雨神。雨：降雨。

⑭留灵修：为灵修而留。灵修：指山鬼的恋人。

⑮岁既晏：年华已老。晏：晚。华：通“花”，此作动词。华予：使我再像花一样美。

⑯三秀：灵芝草。秀：开花。灵芝一年开花三次，故名。於(wū)山：巫山。

⑰磊磊：乱石堆积的样子。葛：植物名，藤本蔓生。

⑱山中人：山鬼自指。杜若：香草名。芳杜若：芳香如杜若。

⑲石泉：山中泉水。荫：遮蔽。

⑳然：诚然，相信。疑：怀疑，与然相对。作：产生。

㉑填填：雷声，等于说隆隆。

㉒啾(jiū)啾：猿的叫声。狖(yòu)：黑色长尾猿。

㉓徒：徒然，白白地。离：通“罹(lí)”，遭受。

【译文】

有个人儿在深山坳，薜荔披身女萝系腰。
含情流盼嫣然一笑，你爱慕我美丽窈窕。
乘赤豹啊随花狸，辛夷车啊插桂旗。
披着石兰结着杜衡，折枝香花赠送情人。
我居竹林深处不见天，道路险峻独来迟一点。
孤零零兀立高山之巅，云海茫茫飘荡脚下边。
山色幽冥啊白昼晦暗，东风呼啸神灵降雨寒。
我痴情等你流连忘返，红颜凋谢青春难再现。
采撷灵芝在巫山间，岩石磊磊葛藤蔓蔓。
抱怨公子惆怅忘归，君或许想我却没空闲。
山中人杜若般芳洁，饮石泉居住松柏间。
惦念公子暗自揣度，君是否想我信疑参半。
雷声隆隆细雨蒙蒙，猿啼啾啾划破夜空。
凉风飒飒落木萧萧，思慕公子空自忧伤。

国殇[①]

屈原

【原文】

操吴戈兮被犀甲[②]，车错毂兮短兵接[③]；
旌蔽日兮敌若云[④]，矢交坠兮士[⑤]争先；

凌余阵兮躐余行[⑥]，左骖殪兮右刃伤[⑦]；
霾两轮兮絷[⑧]四马，援玉枹[⑨]兮击鸣鼓；
天时怼兮威灵[⑩]怒，严杀尽兮弃[⑪]原野；

出不入兮往不反[⑫]，平原忽兮路超远[⑬]；
带长剑兮挟秦弓[⑭]，首身离兮心不惩[⑮]；
诚既勇兮又以武[⑯]，终刚强兮不可凌[⑰]；
身既死兮神以灵[⑱]，魂魄毅兮为鬼雄[⑲]。

【注释】

①《国殇(shāng)》是祭祀保卫国土战死的将士的祭歌。国殇：为国战

死的人。殇：死难者。诗歌描绘了一次悲壮惨烈、血流成河的战斗场面，颂扬了楚国将士奋勇杀敌、视死如归的英雄气概。

②操：拿着。吴戈：吴国制造的戈，当时吴国的冶铁技术较先进，吴戈因锋利而闻名。被：通"披"。犀甲：犀牛皮制作的铠甲，特别坚硬。此句的意思是：手里拿着吴国的戈，身上披着犀牛皮制作的甲。

③车：战车。错：交错。毂(gǔ)：车轮的中心部分，有圆孔，可以插轴，这里泛指战车的轮轴。短兵：指刀剑一类的短兵器。接：接战、混战。此句的意思是：敌我双方战车交错，彼此短兵相接。

④旌：古代旗帜的通称，这里指战旗。蔽：遮蔽。敌若云：敌兵众多如云。

⑤矢(shǐ)：箭。交坠：交相坠落。矢交坠：敌我双方对射出的箭相互交错坠落。士：兵士。

⑥凌：欺凌，侵犯。躐(liè)：践踏。行(háng)：行列、士兵的队伍。

⑦骖(cān)：驾在车两旁的马。殪(yì)：倒地而死。右：右骖。右刃伤：被利刃杀伤。此句的意思是：左边的骖马倒地而死，右边的骖马被兵刃所伤。

⑧霾(mái)：通"埋"。絷(zhí)：被绳索绊住。此句的意思是：战车的两个车轮陷进泥土被埋住，四匹马也被绊住了。

⑨援：拿起。玉枹(fú)：鼓槌的美称。此句的意思是：手持镶嵌着玉的鼓槌，击打着声音响亮的战鼓。先秦作战，主将击鼓督战，以旗鼓指挥进退。

⑩天时：上天际会，这里指上天，天命，命运。天时怼(duì)：指上天都怨恨。怼：怨恨。威灵：威严的神灵。此句的意思是：天地一片昏暗，连威严的神灵都发起怒来。

⑪严杀：残酷地杀光。尽：皆，全都。弃：抛弃，这里是暴露的意思。此

句的意思是：在严酷的厮杀中战士们全都死去，他们的尸骨被丢弃在旷野上。

⑫出：出征。往：通“出”。入：回家。反：通“返”，返回。“出不入”与“往不反”是同义联合结构，强调一去不回头。

⑬忽：不分明，辽阔渺茫的样子。迢远：遥远无尽头。

⑭秦弓：指良弓。战国时，秦地木材质地坚实，制造的弓射程远。

⑮首身离：身首异处。心不惩：壮心不改，勇气不减。惩：惩戒，此处是“屈服”的意思。

⑯诚：诚然、实在。以：且，连词。勇：勇敢，指精神英勇。武：威武，武力强大，武艺高强。

⑰终：到底，始终，副词。凌：侵犯。

⑱身：这里指生命。神以灵：精神因此显灵。神：精神。以：因为，介词。“以”后省略“之”，之：代词，指为国战死。灵：本义是灵魂，名词动化，解释为显灵。

⑲魂魄：灵魄。毅：刚毅、坚强。为：作为、成为。鬼雄：战死了，魂魄不死，即使做了死鬼，也要成为鬼中的豪杰。

【译文】

手拿吴戈啊身穿犀皮甲，战车交错啊刀剑相砍杀。
旗帜蔽日啊敌人如乌云，飞箭交坠啊士卒勇争先。
犯我阵地啊践踏我队伍，左骖死去啊右骖被刀伤。
埋住两轮啊绊住四匹马，手拿玉槌啊敲打响战鼓。
天昏地暗啊威严神灵怒，残酷杀尽啊尸首弃原野。
出征不回啊往前不复返，平原迷漫啊路途很遥远。
佩带长剑啊挟着强弓弩，首身分离啊壮心不改变。
勇猛如虎啊武艺又超群，始终刚强啊没人能侵犯。
身已死亡啊精神永不死，魂魄忠勇啊为鬼中英雄！

礼　魂[①]

【原文】

成礼兮会鼓，传芭兮代舞[②]。
姱女倡兮容与[③]。
春兰兮秋鞠，长无绝兮终古。

【注释】

①《礼魂》是《九歌》中的送神曲。魂就是神，这里指前面所祭祀的诸神灵。送神是祭祀礼中最后一个项目，由美丽的女巫领唱领舞，众多青年男女传递鲜花伴唱伴舞。这首诗歌节奏轻快，洋溢着欢乐之情。

②芭：葩(pā)，奇花异草。代舞：轮番跳舞。

③姱(kuā):美好。倡:唱。容与:从容舒展。

【译文】

祭礼告成一同敲鼓,传递鲜花轮番跳舞。

美女唱歌雍容大度。

春兰馥郁秋菊妍丽,永不凋零祭祀垂千古!

天　问①

屈　原

【内容提要】

《天问》是屈原创作的另一首气势磅礴恢弘、内容广博深邃、构思瑰丽雄奇的长篇诗歌杰作。

屈原在流放之中，彷徨山泽，忧心国事，来到楚先王庙及公卿祠堂，仰望庙堂里描绘的天地山川神灵及古代的贤圣怪杰等壁画，感慨万千，神思飞扬，上下求索，反复究诘，挥笔著成《天问》这篇包罗万象、精巧绝伦、奇气纵横、独步千古的不朽篇章。

《天问》全篇三百七十余句，一千五百多字，以四言句为主，两句或四句为一组，诘问方式多姿多样。诗歌提出一百七十多个问题，内容涉及天文地理、神话传说、历史兴衰、人物故事等，体现了诗人渊博精深的知识，深刻的历史反思，不囿于成见的大胆质疑，探索真理的强烈渴望，如洪兴祖的《楚辞补注》中所说："天固不可问，聊以寄吾之意耳。"又如蒋骥的《山带阁注楚辞》所说："其意念所结，每于国运兴废、贤才去留、谗臣女戎之构祸，感激徘徊，太息而不能自已。”屈原在《天问》的不断诘问之中，熔铸了自己的思想感情和独到见地，具有凝重的历史沧桑感和深邃的哲理性。

【原文】

曰：遂古之初，谁传道之[2]？
上下未形，何由考[3]之？
冥昭瞢闇，谁能极[4]之？
冯翼惟象，何以[5]识之？
明明闇闇，惟时何为[6]？
阴阳三合，何本何化[7]？

圜则九重，孰营度[8]之？
惟兹何功，孰初作[9]之？
斡维焉系，天极焉加[10]？
八柱何当，东南何亏[11]？
九天之际，安放安属[12]？
隅隈[13]多有，谁知其数？

天何所沓？十二[14]焉分？
日月安属？列星安陈[15]？
出自汤谷，次于蒙汜[16]。
自明及晦[17]，所行几里？
夜光何德，死则又育[18]？
厥利维何，而顾菟[19]在腹？

女歧无合[20],夫焉取九子?
伯强何处?惠气[21]安在?
何阖[22]而晦?何开而明?
角宿未旦,曜灵[23]安藏?

【注释】

①《天问》是屈原创作的第二首气势磅礴恢弘、内容广博深邃、构思瑰丽雄奇的长篇诗歌杰作。“天问”,古人以天为至尊,不敢说“问天”,而说是“天问”。天,在这里是受事主语。在《天问》中,诗人对关于宇宙、自然和历史的传统观点提出了怀疑和质问,抒发了强烈的爱国主义和积极的浪漫主义精神。

②曰:这里讲作问。遂古:远古。遂,通“邃”,深远。初:开始。传道:传说。之:语气助词,无义。

③上下:指天地。形:名词动化,成形、形成。何由:根据什么。介宾结构倒置。考:研究、考察。

④冥昭:黑夜白天。瞢闇(méng àn):混沌暗昧,昼夜不分,模糊一片。极:穷究、深究。

⑤冯(píng)翼:大气充满宇宙的状态。何以:根据什么。

⑥时:通“是”,这样。何为:为何。

⑦阴阳:阴阳二气。三:通“参”。三合:参错相合。古代神话讲,天地形成之前,宇宙间只有混沌一团的元气,阴气和阳气掺和就衍生出万物。本:本源。化:化生。

⑧圜:通“圆”,指天。九重(chóng):九层。营:通“环”,环绕。度:测量。

⑨兹:此。功:工程。孰:谁。作:建造。

⑩斡:北斗七星之柄。维:星名。古人认为北斗之柄是天体运转的枢

纽，维星拴在北斗星柄上，斗转则维转，天体也随之运转。焉：哪里。天极：天的顶端。加：架设。

⑪八柱：支撑天的八座山。古代传说有八座山是擎天柱。当：支撑。亏：塌陷。

⑫九天：指天的中央和八方，际：边界。安：哪里。属（zhǔ）：连接。

⑬隅（yú）：角落。隈（wēi）：弯曲处。

⑭沓（tà）：会合。有的古人认为天像盖子，盖在地上，所以有与地相接合处。十二：一年中日月会合的十二辰。

⑮安属：怎样附着。陈：陈列。

⑯汤（yáng）谷：旸谷，神话中地名，太阳洗浴和升起的地方。次：止息。蒙：蒙水，神话中地名，太阳止息之处。汜（sì）：水边。

⑰明：白天。晦：夜晚。

⑱夜光：月亮。德：通“得”，得到。则：而。育：生。古人认为月晦即月亮之死，月明即月亮复生。

⑲厥：其，指月亮。利：黑影。顾：照顾，引申为畜养。菟：通“兔”。古代神话说月中有嫦娥和玉兔。

⑳女岐：神女名，后来又演化为星名，即“尾有九子”的九子星。神话传说女岐无夫却生了九子。合：婚配。

㉑伯强：即禺强，风神，又是天上的箕星。惠气：寒风，一说和顺之气。

㉒阖(hé):关闭。

㉓角宿(xiù):星座名,二十八宿之一。角宿是东方的星座,这里用角宿指代东方。旦:天明。曜(yào)灵:太阳。

【译文】

请问:远古开始之时,谁将此态流传导引?
天地尚未成形之前,又从哪里得以产生?
明暗不分混沌一片,谁能探究根本原因?
迷迷蒙蒙这种现象,怎么将它识别认清?
白天黑夜终于分明,这样安排是何原因?
阴阳掺和衍生万物,哪是本源哪是化生?
天的体制传为九重,有谁曾去环绕量度?
这是多么大的工程,是谁开始把它建筑?
天体轴绳系在哪里? 天极不动设在哪里?
八柱撑天对着何方? 东南为何缺损不齐?
天中央和八方边界,各在哪里放置连接?
大地许多角落弯曲,谁知它们数量多少?
天在何处与地会合? 十二辰是怎样等分?
日月天体如何连属? 众星在天如何置陈?
太阳是从旸谷出来,止宿则在蒙汜之地;
打从天亮直到天黑,所走之路究竟几里?
月亮得到什么神药,竟能死了又再重生?
月亮上的黑影为何,仅是兔子在其腹中?
神女女歧没有配偶,为何能够产下九子?
伯强之神居于何处? 天地瑞气又在哪里?

天门关闭为何天黑？天门开启为何天亮？

东方角宿还没放光，太阳又在哪里匿藏？

【原文】

不任汩鸿①，师何以尚之②？
佥③曰“何忧”，何不课而行之④？
鸱龟曳⑤衔，鲧何听焉？
顺欲⑥成功，帝⑦何刑焉？
永遏在羽山⑧，夫何三年不施⑨？
伯禹⑩腹鲧，夫何以变化？

纂就前绪⑪，遂成考⑫功。
何续初继业，而厥谋⑬不同？
洪泉极深，何以窴之？
地方九则⑭，何以坟⑮之？
河海应龙⑯？何尽何历？
鲧何所营？禹何所成？
康回冯⑰怒，地何故以东南倾？

【注释】

①任：胜任。汩(gǔ)：治理。鸿：通“洪”，洪水。

②师：众人。尚：推举。之：指鲧(gǔn)。

③佥(qiān)：都，全。

④课：试验，考察。行：进行。之：指治水之事。传说尧时洪水肆虐，四方诸侯推举鲧治水，尧不同意，众人建议让鲧试试，尧才同意用鲧治

水。鲧治水九年,没有成功。

⑤鸱(chī):猫头鹰之类的鸟。鸱龟:神话中形状和发声像鸱鸟的龟。曳(yè):拖拉。

⑥顺欲:顺应心愿。

⑦帝:帝尧。

⑧遏:囚禁。羽山:神话中山名,传说在东海滨。

⑨三年:多年的意思。施:释放。

⑩禹:即大禹。神话中说禹是鲧死后从鲧的腹中化生出来的。

⑪纂:继续。就:进行。绪:事业。

⑫遂:终于。考:对亡父的尊称。

⑬厥:其,指禹。谋:方法。

⑭九则:九等。则:标准。《尚书·禹贡》记载,禹治水后把全国土地分成九等,按不同标准征收赋税。

⑮坟:划分。

⑯应龙:神话中有翼的龙。传说禹治洪水,有应龙前来相助,用尾划地,禹按应龙划迹导水入海。

⑰康回:即共工。冯(píng):盛,大。《淮南子·天文训》记载,共工与颛顼(zhuān xū)争帝,怒而撞不周山,天柱折断,地维亦绝,因此天倾西北,地不满东南。

【译文】

鲧治洪水不能胜任,众人为何把他推举?

大家都说何必担忧,为何不能考察试用?

鸱龟拖拉衔走土石,鲧为什么听任它们?

治理洪水将要成功,帝尧为何对鲧施刑?

鲧长期被囚禁羽山，为何多年仍不释放？
鲧的腹中生出禹来，这是如何变化育成？
大禹继续进行治水，父业终于大功告成。
为何鲧禹前后治水，禹的方法会有不同？
洪水泉源深得没底，禹用何物把它填平？
他把土地分成九等，依据什么标准划分？
应龙如何划地疏水？江河入海流经何处？
鲧经营了哪些事情？禹成就了哪些事情？
共工大怒撞不周山，大地何故向东南倾？

【原文】

九州安错[①]？川谷何洿[②]？
东流不溢[③]，孰知其故？
东西南北，其修[④]孰多？
南北顺椭，其衍[⑤]几何？
昆仑县圃[⑥]，其尻[⑦]安在？
增城[⑧]九重，其高几里？
四方之门[⑨]，其谁从焉？
西北辟启[⑩]，何气[⑪]通焉？

日安不到？烛龙[⑫]何照？
羲和之未扬[⑬]，若华[⑭]何光？
何所冬暖？何所夏寒？

焉有石林？何兽能言？

焉有虬龙[15]？负[16]熊以游？
雄虺[17]九首，倏忽[18]焉在？

何所不死[19]？长人[20]何守？
靡蓱九衢[21]，枲[22]华安居？
一蛇吞象[23]，厥大何如？
黑水玄趾[24]，三危[25]安在？
延年不死，寿何所止？
鲮鱼[26]何所？鬿堆[27]焉处？
羿焉彃[28]日？乌焉解羽[29]？

【注释】

①九州：传说禹治理洪水后，把天下分成九个州。错：通“措”，设置。
②川：河流。谷：山间水道。洿(wū)：水深。
③溢：满。《列子》记载，渤海东面有大壑，是个无底水谷，叫归墟，百川注入永不满溢。
④修：长。
⑤衍：多余。
⑥昆仑：神话中西北方一座天帝和神仙居住的仙山。《淮南子·地形

训》："凡四水者，帝之神泉，以和百药，以润万物。昆仑之丘，或上倍之，是谓凉风之山，登之而不死；或上倍之，是谓悬圃，登之乃灵，能使风雨；或上倍之，乃维上天，登之乃神，是谓太帝之居。"县圃：悬圃，"悬于空中的花园"之意，神话中之地名，在昆仑山中层。

⑦尻(jū)：通"居"。

⑧增城：即层城，神话中之地名，在昆仑山最上层。

⑨四方之门：《山海经·海内西经》："昆仑之墟，在西北，方八百里，高万仞，面有九门，门有开启兽守之。"

⑩辟启：敞开。

⑪气：风。据说不周山在昆仑山西北方。《淮南子·地形训》："昆仑之山，北门开，以内不周之风。"《史记·律书》："不周风居西北，主杀生。"

⑫烛龙：神话中人面蛇身之神，住在西北方。烛龙闭眼则天黑，睁眼则天亮。近代人以为此指北极光现象。

⑬羲和：神话中为太阳神驾车的人。扬：扬鞭。

⑭若华：若木的花。神话中若木生长在西方日落处，太阳落在上面，若木花就发出光芒照亮大地。

⑮虬(qiú)龙：神话中没有角的龙。

⑯负：背负，驮着。

⑰雄虺(huǐ)：传说中一种有九个头的大毒蛇。

⑱倏忽：极快的样子。

⑲不死：人长生不死。《山海经·海外南经》："不死民在其(交胫国)东，其为人黑色，寿不死。"

⑳长人：指防风氏。传说夏禹时诸侯防风氏身长三丈，守卫封嵎之山。

㉑靡(mí)：蔓延。蓱：萍，浮萍。衢(qú)：岔道。九衢：这里指靡蓱分九个

枝杈，非常奇异。

㉒枲(xǐ)：一种麻。

㉓一蛇吞象：《山海经·海内南经》："巴蛇食象，三岁而出其骨。"

㉔黑水：神话中西北方的一条河流，出自昆仑山，黑水可令人长寿不死。玄趾：染黑脚趾。

㉕三危：神话中山名，在黑水之南。据说吃了黑水之藻，三危之露，可以长生不老。《尚书·禹贡》："导黑水，至于三危，入于南海。"

㉖鲮鱼：神话中一种生长在西海中的人面鱼身的怪鱼。

㉗鬿(qí)堆：鬿雀。《山海经·东山经》："北号之山有鸟焉，其状如鸡，而白首鼠足虎爪，其名曰鬿雀，亦食人。"

㉘羿(yì)：神话中射落九个太阳的英雄。彃(bì)：射。《淮南子·本经训》记载，上古十日并出，草木焦枯，尧命羿上射九日而下除诸害。

㉙乌：神话中太阳里的"三足乌"。解羽：羽翼脱落，指乌死。

【译文】

九州大地怎样设置？河谷水为何这样深？
水东流归海不满溢，谁能知道其中缘故？
地面四方东西南北，究竟哪个距离更长？
若说南北形成椭圆，它比东西衍生多长？
昆仑山上悬圃仙境，它的地址应在何处？
最上面的增城九层，它的高度又是几里？
昆仑四方九道天门，谁从其中出入来往？
西北方的城门敞开，什么风从那里通畅？
太阳何处照射不到？烛龙怎把那里照亮？
太阳车夫还未扬鞭，若木红花怎会放光？

什么地方冬天温暖？什么地方夏日凉爽？
什么山中石树成林？什么野兽能把话讲？
哪里有无角的虬龙？背负黑熊遨游四方？
九个头的毒恶雄蟒，现在何处倏忽疾往？
哪里的人长生不死？那防风氏看守何方？
蔓生浮萍九个枝杈，枲麻之花长在哪里？
一条巴蛇吞下大象，蛇的肚子该有多大？
黑水能够染黑脚趾，三危山在什么地方？
那里的人延年不死，寿命活到何时为止？
何处鲮鱼人面鱼身？何处鬿雀白首虎爪？
羿在哪里射落太阳？金乌何地脱落羽毛？

【原文】

禹之力献功[①]，降省[②]下土四方。
焉得彼涂山[③]女，而通之於台桑[④]？
闵妃匹合[⑤]，厥身是继[⑥]。
胡为嗜[⑦]不同味，而快朝饱[⑧]？

启代益作后[⑨]，卒然离孽[⑩]。
何启惟忧，而能拘是达[⑪]？
皆归射鞠[⑫]，而无害厥躬[⑬]。
何后益作革[⑭]，而禹播降[⑮]？
启棘宾商[⑯]，《九辩》《九歌》。
何勤子屠母[⑰]，而死分竟[⑱]地？

帝降夷羿[19],革孽夏民[20]。
胡射夫河伯[21],而妻彼雒嫔[22]?
冯珧利决[23],封豨[24]是射。
何献蒸肉之膏[25],而后帝不若[26]?
浞娶纯狐[27],眩妻爰谋[28]。
何羿之射革[29],而交吞揆[30]之?

【注释】

①献:投人,献身。功:治水之事。

②降:下来。省(xǐng):察看。

③涂山:古国名。传说大禹治水,道娶涂山氏之女。

④通:通婚,通淫。台桑:地名,一说桑间野地。

⑤闵(mǐn):爱怜。妃:配偶。匹合:婚配。

⑥厥身是继:即继厥身,继承他自己。

⑦胡:为何。维:语气词。嗜(shì):爱好,嗜好。

⑧快:快乐,满足。《吕氏春秋》:"禹娶涂山氏女,不以私害公,自辛至甲四日,复往治水。"禹为治水,婚后四天便离开了家。

⑨启：禹的儿子。益：禹的贤臣。后：国君。据说禹传位给益，启谋夺王位，被益拘禁，后逃脱，又杀益夺得王位。

⑩卒然：突然。离：通“罹(lí)”，遭到。孽：灾祸。

⑪拘：拘禁。达：通达，逃脱。

⑫归：交还，交给。射：射器，弓箭。鞠：箭囊。射鞠：泛指武器。

⑬躬：本身。厥躬：指启。

⑭作革：政权变更。

⑮播降：繁盛。

⑯棘：屡次。宾：嫔。商：应为“帝”，指天帝。启棘宾商，指启献三个美女给天帝。《山海经·大荒西经》：“启上三嫔于天，得《九辩》《九歌》以下。”

⑰勤子：贤子，指启。勤子屠母：指禹子启破母腹而降生之事。传说涂山氏怀启，到嵩山下化为石，方生启，禹追来大喊：“还我子！”石破北方而生启。

⑱死：通“尸”。

⑲帝：天帝。降：派下，降临。夷羿：传说中夏代有穷国之君，以善射著名，有穷国属东夷族，故称夷羿。

⑳革孽夏民：革除夏民的灾孽。

㉑河伯：黄河之神。传说河伯变为白龙出游，被羿射瞎左眼。

㉒妻：娶妻。雒：通“洛”，洛水。嫔(pín)：对妇女的美称。雒嫔：洛水女神，传说洛水女神原为河伯的妻子，后被羿夺去。

㉓冯：通“凭”，满，指把弓拉满。珧(yáo)：蚌壳，这里指蚌壳装饰的弓。利：用，套上。决：通“玦”，用玉石骨角等制成的用以拉弓的扳指。

㉔封：大。豨(xī)：野猪。

㉕献：进献。蒸肉：祭祀用的肉。蒸：冬祭。膏：肥肉。

㉖后帝：天帝。若：顺心，喜欢。

㉗浞(zhuó)：寒浞，是羿的相，后杀羿自立为君。纯狐：羿的妻子，她与寒浞合谋杀死羿。

㉘眩妻：即玄妻，指纯狐。爰：与。爰谋：合谋。

㉙射革：传说羿能射穿七层皮革。

㉚交：合谋。吞：吞灭。揆(kuí)：揣度，算计。

【译文】

禹为治水出力献身，深入民间视察下情。
怎么遇到涂山女子，大禹就和她在桑间野地私通？
爱怜配偶匹配结合，这是为了后继有人。
为何彼此嗜好不同，却贪图一时的快乐？
启想取代益而做国君，没想到突然遭到天灾人祸。
为何夏启遇到忧患，却能从拘禁中逃脱？
益的军队缴械投降，却不伤害新君夏启。
为何益的政权中断，禹的后代繁盛流传？
启屡献美女给天帝，得到仙乐《九辩》《九歌》。
为何涂山民生子破腹，让母亲的尸骨散落遍地？
天帝让后羿降人间，为了革除夏民灾孽。
羿为何射瞎那河伯，强娶河伯妻子洛神？
引满雕弓套上扳指，后羿射杀庞大野猪。
为何羿献肥美猪肉，天帝却不领情喜欢？
寒浞勾搭羿妻纯狐，两人同谋算计后羿。
羿能射透七层牛皮，却被他们合谋吞灭？

【原文】

阻穷[1]西征，岩何越焉？
化为黄熊[2]，巫何活焉？
咸播秬黍[3]，莆雚是营[4]。
何由并投[5]，而鲧疾修盈[6]？

白蜺婴茀[7]，胡为此堂？
安得夫良药，不能固臧[8]？
天式从横[9]，阳离爰[10]死。
大鸟[11]何鸣，夫焉丧厥体？

蓱号起雨[12]，何以兴之？
撰体协胁[13]，鹿以膺[14]之？
鳌戴山抃[15]，何以安之？
释舟陵行[16]，何之迁之？

【注释】

①阻穷：道路艰险。这里写尧放逐鲧到羽山的事。

②黄熊：指鲧死后化为黄熊的事。《左传·昭公七年》："昔尧殛鲧于羽山，其神化为黄熊，以入于羽渊。"

③咸：全。秬(jù)黍：黑黍，黑小米。

④莆：通"蒲"，水草。雚(huán)：芦苇类植物。营：经营，耕作。

⑤由：原因。并投：摒弃，放逐。

⑥疾：罪过。修盈：指鲧罪恶深重。

⑦蜺(ní)，通"霓"，虹的一种。婴：缠绕。茀(fú)：云彩。

⑧臧：通“藏”。王逸《章句》引《列仙传》记载，崔文子学仙于王子侨，王子侨化为白蜺，给崔文子送药，崔文子惊怪，以戈击中白蜺，仙药落地，地上还有王子侨的尸首。

⑨式：法则。从：通“纵”。纵横：指阴阳消长之道，形容不可抗拒。

⑩阳：阳气。爰：于是，就。

⑪大鸟：指王子侨尸体变的鸟。据说崔文子把王子侨的尸体置于室中，盖上破筐，不久尸体变成大鸟鸣叫起来，崔文子打开筐一看，大鸟就飞走了。

⑫蓱(píng)：蓱翳，雨神。号：呼。起雨：作雨。

⑬撰：具有。撰体：身上具有。协：合。胁：身体两侧有肋骨的部分。撰体协胁：指风神飞廉具有鹿身雀头合体的形态。

⑭鹿：指风神飞廉。膺(yīng)：响应。雨神起雨，离不开风神刮风。

⑮鳌：海中大龟。戴：顶。抃(biàn)：拍手，这里指鳌四肢舞动。神话中渤海之东，有五座神山浮动在水上，上帝怕它们漂流到西极，失去群圣的居所，就命十五头巨鳌分三班，以首顶山，使之稳定。

⑯释：舍去。陵行：在陆地行走。《列子·汤问》记载，龙伯国有一个巨人来到五座神山那里，一次就钓起六只巨鳌，全部背回国中。

【译文】

鲧历经险阻朝西行，如何翻越崇山峻岭？
鲧已经变成了黄熊，神巫如何把他救活？
鲧教百姓播种黑黍，清除水草耕耘经营。
有何理由将他摒弃，难道因鲧罪孽深重？
白蜺身上彩云缠绕，为何来到这个殿堂？
子侨哪里弄得仙药，却又不能牢固隐藏？

自然法则不可抵御，阳气离体人就死去。
这只大鸟为何鸣叫？怎会丧失原来身躯？
雨神蓱翳一声呼号，为何就能兴云作雨？
风神飞廉雀头鹿身，他又如何随之响应？
巨鳌顶山四肢划动，神山何以安稳不动？
巨人钓龟弃舟陆行，怎把海龟背迁回国？

【原文】

惟浇①在户，何求于嫂②？
何少康逐犬③，而颠陨厥首④？
女歧⑤缝裳，而馆同爰止⑥。
何颠易厥首⑦，而亲以逢殆⑧？

汤谋易旅⑨，何以厚⑩之？
覆舟斟寻⑪，何道⑫取之？
桀伐蒙山⑬，何所得焉？
妹嬉何肆，汤何殛⑭焉？
舜闵在家⑮，父何以鳏⑯？

尧不姚[17]告，二女何亲[18]？

厥萌[19]在初，何所亿[20]焉？
璜台十成[21]，谁所极[22]焉？
登立为帝[23]，孰道尚[24]之？
女娲有体[25]，孰制匠[26]之？

舜服厥弟[27]，终然为害。
何肆犬体[28]，而厥身[29]不危败？
吴获迄古[30]，南岳是止[31]。
孰期去斯[32]，得两男子[33]？

缘鹄饰玉[34]，后帝是飨[35]。
何承谋夏桀，终以灭丧？
帝乃降观[36]，下逢伊挚[37]。
何条放致罚[38]，而黎服大说[39]？

【注释】

①惟：发语词。浇(ào)：寒浞的儿子，相传他力气很大并且纵欲残忍，曾杀死夏相，后又被夏相之子少康所杀。
②嫂：浇的嫂子，据说是一个寡妇。
③少康：夏代的中兴之主。逐犬：打猎。
④颠陨(yǔn)：坠落，砍掉。厥首：指浇的脑袋。
⑤女歧：浇的嫂子。
⑥馆同：同馆。止：歇息。

⑦颠:砍掉。易:换,这里指砍错了。厥首:指女歧的脑袋。
⑧亲:女艾。逢殆(dài):遭殃。
⑨汤:应作“康”,指少康。谋:谋划。易:治。旅:军队。
⑩厚:壮大。
⑪覆舟:翻船。斟寻:与夏同姓的诸侯国。夏相失国后,逃往斟寻、斟灌两国;浇攻灭二斟,杀夏相。夏相子少康在有虞国的帮助下,重新召集斟寻、斟灌两国民众,灭浇复夏。
⑫道:方法。
⑬桀:夏朝最后一位君王,为暴君,被商汤所灭。蒙山:古国名。传说桀攻伐蒙山,得二女琬和琰,便把元妃妹嬉抛弃在洛,妹嬉与伊尹私通,并与商勾结灭了夏。
⑭汤:商汤,商朝的开国君主。殛:惩训。商汤灭夏后,将妹嬉和桀一起流放到南巢而死。
⑮舜:古帝,有虞氏姚姓,又称虞舜,继唐尧为君。闵(mǐn):忧愁。家:成家,娶妻生子。
⑯父:指舜父瞽(gǔ)叟。鳏(guān):成年男子久无妻室。据说舜三十岁尚未娶妻。
⑰尧:唐尧,古帝。姚:虞舜的姓,此指舜的家长。传说尧把两个女儿嫁给舜时没有与舜的家长商量。
⑱二女:尧的两个女儿,名叫娥皇、女英。亲:成亲。
⑲厥:其,这里指事物。萌:萌芽。
⑳亿:通“臆”,预料。
㉑璜(huáng)台:玉台,瑶台。成:层。传说殷贤臣箕子看见纣王使用象牙筷子,预料纣王必然要用玉杯,有了玉杯必然要吃熊掌豹胎,接着必然要大造宫室。后来,纣王果然建造了十层玉台。

㉒极：尽，至，这里是看透的意思。
㉓立：通“位”。帝：指女娲。《山海经·大荒西经》：“女娲，古神女而帝者。”
㉔道：引导。尚：尊崇，推举。
㉕女娲(wā)：神话中上古女帝王，人头蛇身，一天能变化七十种样子。体：形体。
㉖匠：造。传说女祸用黄土造出人类。这两句问：女娲自己的身体又是谁造出的？
㉗服：顺从。弟：舜弟象。传说舜生母早亡，其父瞽叟娶后妻，生下象。舜虽然对生父、后母和弟弟很好，却一再遭到他们三个人的谋害。
㉘犬体：狗的心术，指象的凶恶犹如恶狗。
㉙厥身：指象。
㉚吴：古代诸侯国。迄古：终古，长久。
㉛南岳：衡山，这里泛指南方山水。止：居留，这里是立国的意思。
㉜期：预见。夫斯：复合指示代词，这个、这种情况。
㉝两男子：指太伯、仲雍。《史记·吴太伯世家》记载，周文王之祖古公亶父的长子太伯和次子仲雍，看出古公亶父想把君位传给三子季历，就主动避开跑到南方，吴地人拥戴太伯为国君，太伯死后，仲雍继立为国君。
㉞缘：装饰。鹄(hú)：天鹅。饰玉：饰玉之鼎。
㉟后帝：商汤。飨：食。《史记·殷本记》记载：伊尹因善于烹调被商汤信用，曾受商汤之命打入夏朝当过夏桀的大臣，与商汤里应外合，一起灭掉夏桀。
㊱帝：指商汤。降观：出巡，下来观察民情。
㊲伊挚(zhì)：伊尹名。传说伊尹原是个奴隶，被商汤发现，任用为相。
㊳条：鸣条，地名，传说商汤在鸣条之野打败夏桀。放：放逐。致：给。

罚：惩罚。

㊴黎服：黎民百姓。“服”是“民”的误字。说：通“悦”。

【译文】

浇来到他嫂子门口，对嫂嫂提什么要求？
为何少康放狗出猎，就能砍掉浇的人头？
女歧替浇缝制衣裳，他俩同馆睡宿一床。
少康为何割错首级，浇因情欲终遭祸殃？
少康谋划整治军旅，用何方法壮大队伍？
灭亡斟寻犹如覆舟，少康取胜用的何法？
夏桀把蒙山攻伐，得到哪两位美女？
妹嬉有什么放肆，商汤怎么样灭夏？
舜在家里忧闷不乐，父亲何不给他娶妻？
尧不告诉舜的家长，二女怎会与舜成亲？
事物萌芽初露端倪，谁能预测它的未来？
美玉筑起楼台十层，谁能料到纣王下场？

女娲刚登位称帝，谁开始称道推举？
女娲自己的身体，又是谁制造成的？
舜顺服他的弟弟象，象却始终对舜陷害。
为何象肆虐如恶狗，象自身却没有祸灾？
吴国获得长久存在，立国于南岳山一带。
谁能预见这种情况，只因得到两位贤君？
用刻有天鹅的饰玉之鼎，伊尹献佳肴给商汤品尝。
他如何受命谋算夏桀，终于致使夏桀灭亡？
商汤出巡体察民情，他在下面碰见伊尹。
为何从鸣条放逐夏桀，黎民百姓都欢天喜地？

【原文】

简狄在台[①]，喾何宜[②]？
玄鸟致贻[③]，女何喜[④]？

该秉季[⑤]德，厥父是臧[⑥]。
胡终弊于有扈[⑦]，牧夫牛羊？
干协时舞[⑧]，何以怀[⑨]之？
平胁曼肤[⑩]，何以肥[⑪]之？

有扈牧竖[⑫]，云何而逢[⑬]？
击床先出[⑭]，其命[⑮]何从？
恒[⑯]秉季德，焉得夫朴牛[⑰]？
何往营班禄[⑱]，不但还来？

昏微[19]遵迹，有狄[20]不宁。
何繁鸟萃棘[21]，负子肆情？
眩弟[22]并淫，危害厥兄。
何变化以作诈，后嗣而逢长[23]？

【注释】

①简狄(dí)：传说有娀(sōng)国的美女，帝喾(kù)的次妃，生子契(xiè)，是商朝的始祖。台：据说有娀氏建了一座九层高台，让简狄和她妹妹在上面居住。

②喾：帝喾，古帝。宜：求偶，或适宜。

③玄鸟：燕子。致：赠送。贻(yí)：礼物，这里指送的蛋。《史记·殷本纪》："三人行浴，见玄鸟堕其卵，简狄取吞之，因孕生契。"

④女：简狄。喜：有喜，怀孕。

⑤该：通"亥"，王亥，殷人的远祖，契的六世孙。秉(bǐng)：承，保持。季：冥，亥的父亲。

⑥父：指季。臧(zāng)：善良。

⑦胡：为什么。弊(bì)：通"毙"，死。有扈(hù)：有易之误，有易是传说中的古国名。传说亥在有易放牧牛羊，因为淫乱，被有易国君绵臣杀死，牛羊被夺走。

⑧干：盾牌。协：和谐。时：是。舞：舞蹈。这里是说亥用跳舞引诱有易氏女人。

⑨怀：怀恋，引诱。

⑩平胁：形容长得丰满。曼肤：肌肤细嫩。曼：润泽。

⑪肥：通"妃"，匹配。

⑫有扈：有易。牧竖：牧人。

⑬逢:遇到。指牧人遇见王亥和有易之女通奸。

⑭击床:指有易之君绵臣派牧人袭击王亥于床笫之间。先出:指恰逢王亥先出去了,得免于死。但后来王亥最终被杀死在有易。

⑮命:命令。

⑯恒:王恒,王亥之弟。

⑰朴牛:大牛。

⑱营:经营。班禄:颁赐爵禄。王恒假借到有易颁赐爵禄,从而想要回被有易抢走的王亥的牛羊,但是他一去不返。

⑲昏微:王亥之子上甲微,据说他当了殷朝国君后,借助河伯的军队攻伐有易,灭之,杀其君绵臣。

⑳有狄:有易。

㉑萃:聚集。棘:荆棘。繁鸟萃棘:鸟雀来到不该来的地方,比喻上甲微晚年淫乱,干了不该干的事情。

㉒眩弟:昏乱的弟弟,上甲微的弟弟。

㉓后嗣:后代。逢长:绵延昌盛。

【译文】

简狄深居九层瑶台,帝喾如何对她求爱?

燕子将蛋赠送简狄,简狄吞了怎会怀胎?

亥秉承父亲的贤德,像父亲季一样善良。

为何最终死在有易,还在那里丧失了牧人和牛羊?

亥在有易执盾跳舞,凭什么引诱有易之女?

那女人长得乳丰肤嫩,又怎样被王亥引诱上?

有易那个放牧之人,怎会遇见他们通奸?

杀到床上亥先逃出,杀人命令从哪里来?

王恒也秉承了季的美德，可哪能得到失去的大牛？
他何必往有易颁赐爵禄，以致一去他就没有回头？
上甲微遵循前辈足迹，有易人因此不得安宁。
为何众鸟聚集于荆棘上，他瞒着儿子与媳妇纵情？
上甲微的弟弟同样淫乱，竟然要危害自己的兄长。
为何欺诈手段变化多端，他的后代却能昌盛绵长？

【原文】

成汤[1]东巡，有莘爰极[2]。
何乞彼小臣[3]，而吉妃[4]是得？
水滨之木[5]，得彼小子[6]。
夫何恶[7]之，媵有莘之妇[8]？
汤出重泉[9]，夫何罪尤[10]？
不胜心伐帝[11]，夫谁使挑[12]之？

会朝争盟[13]，何践吾期[14]？
苍鸟[15]群飞，孰使萃[16]之？
列击纣躬[17]，叔旦不嘉[18]。
何亲揆发[19]，定周之命以咨嗟[20]？

授[21]殷天下，其位安施[22]？
及[23]成乃亡，其罪伊何[24]？
争遣伐器[25]，何以行[26]之？
并驱击翼[27]，何以将[28]之？

昭后成游㉙，南土爰底㉚。
厥利惟何，逢彼白雉㉛？

穆王巧梅㉜，夫何为周流？
环理㉝天下，夫何索求？
妖夫曳衒㉞，何号㉟于市？
周幽谁诛㊱？焉得夫褒姒㊲？

【注释】

①成汤：商汤，商朝的开国君主。

②有莘(shēn)：古国名。爰：助词。极：到。

③乞：求取。小臣：指伊尹。

④吉妃：好妃子，指有莘氏的女儿。传说商汤知道伊尹的才能后，三次派人往聘，有莘之君都不给，于是商汤请求娶有莘之君的女儿为妻，有莘之君就把伊尹当陪嫁奴隶送给了汤。

⑤木：树，指空心桑树。

⑥小子：小孩，指伊尹。据《吕氏春秋·本味》记载：伊尹的母亲住在伊水边上，怀孕时梦见神告诉她，石臼出水就往东跑，不能回头看。第二天她果真看见石臼出水了，告诉邻居后就往东跑了十里，她忍不住回头一

看，看见家乡已是汪洋一片，自己因而变成了一棵空心桑树。有莘国的一个姑娘采桑时在空心桑树中拣到一个婴儿，把婴儿献给国君，国君让厨师抚养，因伊尹的母亲原住在伊水边，所以就叫他伊尹。

⑦恶(wù)：厌恶，看不起。

⑧媵(yìng)：陪嫁。有莘之妇：有莘国君的女儿。

⑨重泉：地名。桀囚禁汤的地方。

⑩罪尤：罪过。

⑪不胜心：心中不可忍耐。帝：指夏桀。

⑫挑：挑唆。

⑬会：会合。朝：日，指甲子日。传说周武王于二月甲子日会齐八百诸侯，在殷都附近的牧野打败商朝军队。争盟：争先恐后会盟。

⑭践：履行。吾期：周武王约定的会盟日期。

⑮苍鸟：比喻各路诸侯的将士勇猛如鹰。

⑯萃(cuì)：聚集。

⑰列：厉，猛。躬：身体。《史记·周本纪》："武王持大白旗以麾诸侯……至纣死所，武王自射之，三发而后下车，以轻剑击之，以黄钺斩纣头，悬大白之旗。"

⑱叔旦：周公，姓姬名旦，武王的弟弟。嘉：赞许。

⑲亲：亲自。揆(kuí)：掌握，指挥。发：发动。

⑳定：奠定。命：命运。咨嗟(zī jiē)：叹息。

㉑授：授给。

㉒位：王位。施：给予。

㉓及：等到。

㉔伊何：是什么。

㉕遣：派遣。伐器：武器，此指军队。

㉖行：行事。

㉗并驱：并驾齐驱。击翼：攻击两翼。

㉘将(jiàng)：统率，指挥。

㉙昭后：周昭王，西周第四代君主。成游：盛大规模出游。成：通“盛”。

㉚南土：南方，指楚国。爰：助词。底：到，至。

㉛白雉(zhì)：白色的野鸡，难得的珍禽。《史记·周本纪》之“正义”引《帝王世纪》：“昭王德衰，南征，济于汉，船人恶之，以胶船进王，王御船至中流，胶液船解，王及祭公俱没于水中而崩。”

㉜穆王：周穆王，西周第五代君主。巧：精于，善于。梅：通“枚”，马鞭，指鞭策之术。

㉝环：周游。理：通“履”，行。

㉞妖夫：妖人，对周王室说是不祥之人。曳(yè)：拖着、携带。衒(xuàn)：炫耀，此指沿街叫卖。

㉟号：呼喊，叫卖。

㊱周幽：周幽王，西周末主。诛：杀。

㊲褒姒(bāo sì)：周幽王的王后。《国语·郑语》和《史记·周本纪》记载：周厉王(幽王祖父)时，后宫有一个小宫女遇到龙的精液变化成的大鳖而怀孕，到周宣王(幽王之父)时，生了一个女孩，因是没有婚配而生的，宫女惊怪就把女孩丢弃了。当时有童谣说：“山桑木弓，箕木箭袋，亡周的祸害。”恰好有一对夫妇在市上叫卖桑木弓和箕木箭

袋，宣王派人去抓他们，他们就乘夜逃往褒国，在路上捡到那个被宫女抛弃的女孩，便收养了她，长大后就叫褒姒。后来周幽王讨伐褒国，褒人就把褒姒献给幽王。幽王迷恋褒姒，不理朝政。后来犬戎入侵，将幽王杀死在骊山之下。

【译文】

成汤到东部地区去巡视，他一直走到有莘这地方。
为何想要到小臣伊尹，结果却得到个美丽的妃子？
在伊水边的空心桑树，捡得那个婴儿伊尹。
有莘氏为何厌恶他，把伊尹作陪嫁送给成汤？
成汤被囚禁在重泉，到底犯了什么罪行？
汤不胜愤怒起兵伐夏桀，难道靠谁来挑唆他？
八百诸侯甲子日在牧野会合誓师，他们何以按期而至？
将士猛如群鹰飞翔搏击，是谁使他们聚集在一起？
武王猛击纣王尸体，周公对此并不赞许。
为何周公亲自兴师伐纣？奠定周朝基业反倒叹息？
上帝将天下授给殷人，王位的给予依据什么？
待殷朝建成又灭亡它，它犯的罪行又是什么？
诸侯争着派遣军队，这部署怎样进行的？
并驾齐驱夹击两翼，是哪个统帅指挥的？
周昭王盛兵出游，直到南方的楚地。
他到底求什么利益，难道为那白色野鸡？
周穆王善于驾驭，为何要到处周游？
环行周游遍天下，他究竟有何索求？
妖人拖曳弓箭叫卖，为什么大声吆喝于闹市？

周幽王究竟要诛杀谁？他又从哪里得到褒姒？

【原文】

天命反侧[1]，何罚何佑[2]？
齐桓[3]九会，卒然身杀[4]。

彼王纣之躬[5]，孰使乱惑？
何恶辅弼[6]，谗谄是服[7]？
比干[8]何逆，而抑沈[9]之？
雷开[10]何顺，而赐封之？
何圣人之一德[11]，卒其异方[12]？
梅伯受醢[13]，箕子详[14]狂？

稷维元子[15]，帝何竺[16]之？
投之於冰上，鸟何燠[17]之？
何冯弓挟[18]矢，殊能将[19]之？
既惊帝切激[20]，何逢长[21]之？

伯昌号衰[22]，秉鞭作牧[23]。
何令彻彼岐社[24]，命[25]有殷国？
迁藏就[26]岐，何能依[27]？
殷有惑妇[28]，何所讥[29]？
受赐兹醢[30]，西伯上告[31]。
何亲就上帝罚，殷之命以不救？
师望在肆[32]，昌何识[33]？

鼓刀[34]扬声，后[35]何喜？

【注释】

①反侧：反复无常。

②佑：保佑。

③齐桓：齐桓公，春秋五霸之一，齐国国君。《史记·齐世家》记载，齐桓公任用管仲，使国家强大，曾“兵车之会三，乘车之会六，九合诸侯，一匡天下”。

④卒然：最终，终于。身杀：管仲死后，齐桓公任用堂巫、易牙、竖刁、开方四个奸臣，造成国乱，齐桓公被软禁于一室，饿死三个月没人收尸安葬。

⑤躬：身，指纣王。

⑥辅弼(bì)：辅佐，辅佐大臣。

⑦服：任用。

⑧比干：纣王的叔父。《史记·殷本纪》记载，比干因为极力向纣王进谏忠言，被纣王剖腹剜心。

⑨抑：压制。沈：通“沉”，淹没，指被杀。

⑩雷开：纣王的佞臣。

⑪圣人：纣王的贤臣，梅伯、箕子等。一德：品德相同。

⑫卒：终结。异方：各种各样。

⑬梅伯：纣王的诸侯，因忠言直谏被纣王杀死。醢(hǎi)：剁成肉酱。

⑭箕(jī)子：纣王的叔父。他向纣王进谏不被听取，就披发装疯，去做别人的奴隶。详：通“佯”。

⑮稷(jì)：后稷，又叫弃。维：是。元子：长子。神话中传说，帝喾的元妃姜嫄(yuán)因踩着巨人的脚印而心动，怀孕生稷。以为不祥，把

他丢弃在小巷，牛羊爱抚他；把他丢弃在森林，伐木人救了他；把他丢弃在寒冰上，大鸟用翅膀覆盖他。于是家人又收养了他，并叫他弃。稷是周人传说中的始祖。他从小喜欢种植农艺，长大后教百姓种五谷，因而后人尊称他为后稷。

⑯帝：帝喾。竺(zhú)：通“毒”，憎恶。

⑰燠(yù)：温暖。

⑱冯：通“凭”，满。冯弓：拉满弓。挟(xié)：持。

⑲殊能：特殊才能。将：充当将帅。

⑳惊帝：惊动帝喾。切激：激烈。

㉑逢长：兴盛绵长。

㉒伯昌：周文王，姓姬名昌，曾被殷王朝封为雍州伯，故称西伯昌。号：发号，施令。衰：殷朝衰世。

㉓秉：执掌。鞭：比喻权柄。牧：古代治民之官，此指诸侯首领。

㉔彻：拆毁。岐(qí)：古地名，在今陕西岐山县东北。周人曾在此建国。社：古代祭祀土地神之所，是一国政权的象征。

㉕命：天命。

㉖藏：库藏，财产。就：到。《史记·周本纪》记载，周的祖先古公亶父本属于邠(今陕西彬县)，为了避免与戎狄部族作战，便携家人财物迁居到岐山，邠(bīn)地百姓也前来归附他。

㉗依：依靠，依附。

㉘惑妇：指纣王宠妃妲(dá)己。《史记·殷本纪》：“纣爱妲己，妲己之言是从。”

㉙讥：进谏。

㉚受：纣王的字。兹：子的假借字。受赐兹醢：指纣王把文王的儿子伯邑考煮成肉汤赐给文王喝。

㉛上告:向上帝控诉。

㉜师望:吕尚,号太公望,俗称姜太公,因被周文王和周武王立为太师,故称师望。肆:店铺。传说姜太公入周前曾在朝歌屠牛卖肉。

㉝昌:姬昌,周文王。识:了解。

㉞鼓刀:敲刀发声,以招揽生意。

㉟后:君,周文王。

【译文】

天命总是反复无常,按何标准保佑惩罚?
齐桓公曾九合诸侯,最后竟被奸臣谋杀。
殷纣王这个独夫,谁使他昏乱迷惑?
他为何厌恶忠臣,却重用那些谗谄的奸佞?
比干对他有何触犯,竟遭纣王剖腹剜心?
雷开如何奉承了他,就被赐予高官厚禄?
为何圣人美德一样,最终结果各有不同?
梅伯直谏被剁成肉酱,箕子避祸而假装疯狂。

后稷是帝喾的长子，帝喾为何要憎恶他？
将他投弃在寒冰上，大鸟为何来温暖他？
他为何会弯弓射箭，特殊才能可任将帅？
他既然使帝喾惊骇，为何又能长大成才？
周文王发号于殷朝末世，掌握大权成为诸侯之长。
是谁令他拆毁岐山社庙，承受天命获得殷朝江山？
古公亶父携宝藏迁岐山，老百姓何以都能依附他？
殷纣王身边有妲己迷惑，人们哪里还有进谏之所？
纣王赐文王喝亲子肉汤，文王便向上帝愤怒控告。
为何纣王亲受上帝惩罚，殷朝命运因此不可救药？
姜太公还在肉铺里宰牛，文王如何知道他的才能？
敲刀招揽生意的声音，文王听见为什么欣喜？

【原文】

武发杀殷[①]，何所悒[②]？
载尸集战[③]，何所急？
伯林雉经[④]，维其何故？
何感天抑地[⑤]，夫谁畏惧？
皇天集命[⑥]，惟何戒[⑦]之？
受礼[⑧]天下，又使至[⑨]代之？

初汤臣挚[⑩]，后兹承辅[⑪]。
何卒官汤[⑫]，尊食宗绪[⑬]？
勋阖梦生[⑭]，少离[⑮]散亡。
何壮武厉[⑯]，能流厥严[⑰]？

彭铿斟雉[18]，帝何飨[19]？
受寿永[20]多，夫何久长[21]？

中央共牧[22]，后何怒[23]？
蜂蛾微命[24]，力何固[25]？

惊女采薇[26]，鹿[27]何佑？
北至回水[28]，萃[29]何喜？

兄有噬犬[30]，弟[31]何欲？
易之以百两[32]，卒无禄[33]？

【注释】

①武发：周武王，姓姬名发。殷：指殷纣王。
②怿(yì)：愤恨。
③尸：灵牌。集战：会战。《史记·周本纪》记载，周文王死后不久，武王就用车载着文王的灵牌，起兵讨伐纣王。
④伯林：当作柏林，鹿台附近的柏树林。雉经：缢死，悬挂。
⑤感天抑地：感动天地。指载尸集战之事。
⑥集命：皇天降赐天命，让某姓统治天下。
⑦戒：警惕，警戒。
⑧受：指纣王。礼：通“理”，治理。
⑨至：后来的人。
⑩汤：商汤。挚(zhì)：伊尹。
⑪后兹：兹后，此后。承：承担。辅：辅佐大臣。

⑫卒：最终。官汤：做汤的相。

⑬食：享受祭祀。宗绪：宗族后嗣，此指祖宗。伊尹死后受到尊重，他的牌位也被摆进商王朝的宗庙，与商汤一同享受祭祀。

⑭勋：功勋。阖(hé)：阖庐，春秋后期吴国国君，他在位时吴国强盛，楚昭王十年(公元前506年)，他任用孙武和伍子胥与楚国交战，一度攻破郢都。梦：寿梦，阖庐的祖父，吴国国君。生：通“姓”，孙子。

⑮少：年少。离：通“罹”，遭遇。

⑯壮：壮年。武厉：雄武猛厉。

⑰流：流传。严：应作“庄”，汉代避明帝讳而改，“庄”为威武之意。

⑱彭铿(kēng)：彭祖，传说他活了八百岁。斟(zhēn)：烹调。雉(zhì)：野鸡，这里指野鸡汤。

⑲帝：上帝。飨(xiǎng)：享用。

⑳永：长久。

㉑长：通“怅”，惆怅。

㉒中央：指周王朝的政权。共(gōng)：共伯和，人名。《史记·周本纪》引《鲁连子》：“共伯名和，好行仁义，诸侯贤之，周厉王无道，国人作难，王奔于彘，诸侯奉和以行天子事。”牧：治理，摄政。

㉓后：指周厉王。据历史记载，周厉王死后，共伯和想篡位自立，恰逢大旱、火灾，卜于太阳，卦兆说是厉王作祟，于是周公、召公立厉王的太子为宣王，共伯和回到共国。后何怒，即指厉王降灾作祟之事。

㉔蜂蛾：比喻反抗周厉王的老百姓。微命：微小的生命。

㉕固：顽强。

㉖惊女：女子惊奇。采薇：指伯夷、叔齐不食周粟，在首阳山采薇的事。据《古史考》《烈士传》记载，伯夷、叔齐反对周武王伐纣，义不食周

粟，隐居首阳山，靠采薇为生。野外有一个女子对他们说："你们义不食周粟，这也是周的草木啊！"伯夷、叔齐于是连薇菜也不吃了，绝食七天，天帝派遣白鹿用乳汁喂养他们，但是他们最后仍然饿死在首阳山。

㉗鹿：神鹿，白鹿。

㉘回水：环绕首阳山的河曲之水。

㉙萃：相聚。

㉚兄：春秋中期秦国国君秦景公。噬(shì)犬：咬人的猛狗。

㉛弟：秦景公的弟弟鍼(qián)。

㉜易：换。两：通"辆"。

㉝无禄：失掉爵禄。秦景公不给鍼猛犬，鍼用一百辆车去换，仍然没换成，后来鍼逃奔晋国，失掉了爵禄。《左传·昭公元年》："秦伯(秦景公)之弟鍼，出奔晋，其车千乘。"

【译文】

武王斩下纣王的头，为何那样义愤填膺？
载着文王灵牌会战，为何那样心急如焚？
纣王尸体悬在柏树林，那究竟是什么缘故？
伐纣要感天动地，武王还能畏惧谁？
皇天降赐天命给殷，对殷应有什么警戒？
纣王既然受理天下，却又让后来的人代替他？
当初伊尹是汤的小臣，后来他进位辅佐大臣。
为何最终当商的宰相，死后配享王宗的祭飨？
吴王阖庐是寿梦的孙子，年少时遭流离逃亡之难。
为何他壮年后勇武猛厉，能够让自己的威名流传？

彭祖烹调的野鸡汤，天帝为何乐于品尝？
给他的寿命那么长，彭祖为何还要惆怅？
共伯和在中央摄政，周厉王为何作祟降旱？
百姓微小犹如蜂蛾，力量何以那么顽强？
女子惊奇伯夷叔齐采薇，白鹿为何用乳汁喂他们？
朝北来到环水的首阳山，兄弟相聚隐居为何欢喜？
哥哥秦景公有只猛狗，弟弟铖为何总想搞到？
他用百辆车也没换成，结果连爵禄也都丢掉。

【原文】

薄暮[①]雷电，归何忧[②]？
厥严不奉[③]，帝何求[④]？
伏匿穴处[⑤]，爰何云[⑥]？
荆勋作师[⑦]，夫何长？
悟过改更[⑧]，我又何言？

吴光争国[⑨]，久余[⑩]是胜。
何环穿自闾社丘陵[⑪]，爰出子文[⑫]？

吾告堵敖[13]以不长。
何试上自予[14]，忠名弥彰[15]？

【注释】

①薄暮：傍晚。

②归何忧：王逸《楚辞章句》："屈原书壁所问略讫，日暮欲去，时天大雨雷电，思念复至，自曰：归何忧乎？"

③厥严：楚国的威严。奉：尊奉，保持。

④帝：上帝。帝何求：何求于帝。

⑤伏匿(nì)：隐藏。穴处：住在山洞里。

⑥爰：于是，对此。云：说。

⑦荆：楚国别名，这里指楚王。勋：功业。作师：起兵打仗。《史记·楚世家》记载，楚怀王受张仪的骗后，兴兵伐秦，大败于丹阳。楚怀王大怒，再发全国之兵伐秦，又大败于蓝田。

⑧悟过改更：楚怀王在蓝田战败后，八九年没有与别国打仗。

⑨吴光：吴国公子姬光，即吴王阖庐。争国：吴与楚相互争战，争夺地盘。《史记·吴太伯世家》记载，吴王阖庐于楚昭王十年(公元前506年)任伍子胥、孙武为将，兴兵伐楚，"楚兵大败，走，于是吴王遂纵兵追之。比至郢，五战，楚五败。楚昭王亡出郢，奔郧。……而吴兵遂入郢"。

⑩久：长期。余：我们，指楚国。

⑪环：环绕。穿：穿过。闾(lǘ)：古代二十五家为一闾，此指村子。社：祭土地神之所。环穿自闾社丘陵：指男女幽会的经过和地点。

⑫出：生。子文：楚成王的贤相。《左传·宣公四年》记载，楚之先王若敖娶郧国之女，生下斗伯比。若敖死后，斗伯比和母亲生活在郧国。

斗伯比长大后与郧国国君的女儿私通，生下子文。郧夫人命人把子文丢弃在云梦泽中，有一只老虎给子文喂奶，郧子出猎时看见了，就收养了子文。子文成人后，因有贤才，做了楚国令尹。这里是说斗伯比环绕闾社，穿过丘陵，和郧女通淫，何以能生出子文这样的贤人？以此感慨楚怀王没有这样的人才，只有令尹子兰这样的奸臣。

⑬堵敖：楚文王之子熊艱(jiān)，楚文王死后继位为楚王，在位五年，被他弟弟楚成王熊恽(yùn)所杀。

⑭试：应为弑(shì)，杀。上：指堵敖熊艱。自予：指熊恽杀死堵敖，把王位给予自己。

⑮忠名：楚成王熊恽杀堵敖熊艱而得忠直之名。弥：愈加。彰(zhāng)：显著。

【译文】

黄昏时分电闪雷鸣，离庙归家何必多情？
楚国威严不再保持，祈求上帝还有何用？
我遭流放山洞隐藏，对国事还有何话讲？
楚王动辄兴兵打仗，国家命运怎能久长？
倘能悔悟改弦更张，我又何必把话多讲？
吴王阖庐与楚国争战，长期战胜我们楚国。
为何穿村入陵去私通，竟然生出贤相子文？
我说堵敖王位不会长。
为何熊恽杀堵敖自立，他的忠名却更加远扬？

九　章

屈　原

【内容提要】

《九章》是屈原九篇诗歌的总题，主要是屈原被流放汉北，以及迁往江南期间所作的抒情诗歌。

朱熹的《楚辞集注》说："屈原既放，思君念国，随事感触，辄形于声。后人辑之，得其九章，合为一卷，非必出于一时之言也。"王逸的《楚辞章句》说："屈原放于江南之野，思君念国，忧心罔极，故复作《九章》。"

《九章》诸篇的思想内容、篇幅体制、语言风格大体一致。同时《九章》与《离骚》也有许多相近之处，都是描述屈原自己从被楚王信任到放逐江南的身世遭遇，信而见疑、忠而被谤的悲怨情绪，抒发了美好政治理想不能实现的无限感慨，倾注了其一腔忧国忧民的殷殷衷情，具有纪实性、政治性和抒情性。两者的不同在于：《离骚》是屈原的全方位综合性鸿篇巨制式的自叙传，并且大量运用了瑰奇的神话传说和比兴象征的修辞手法。《九章》则是屈原撷取自己不同时期的政治生活和放逐生涯的纪实片段，每篇写一事抒一情，多是实地实事的叙写和坦诚直率的倾诉。因此，《九章》既是研究屈原生平思想的重要资料，又是屈原感天地、泣鬼神、血泪和墨熔铸成的爱国忧民愤世的绝命之作。

惜诵

【原文】

惜诵以致愍[1]兮，发愤以抒情。
所作忠[2]而言之兮，指苍天以为正。

令五帝以折中[3]兮，戒六神与嚮服[4]。
俾山川以备御[5]兮，命咎繇使听直[6]。

竭忠诚以事君兮，反离群而赘肬[7]。
忘儇[8]媚以背众兮，待明君其知之。

言与行其可迹兮，情与貌其不变。
故相臣莫若君兮，所以证之不远。

吾谊[9]先君而后身兮，羌[10]众人之所仇也。
专惟[11]君而无他兮，又众兆[12]之所雠。

壹心而不豫[13]兮，羌不可保也[14]。
疾[15]亲君而无他兮，有招祸之道也。

思君其莫我忠兮，忽忘身之贱贫。
事君而不贰[16]兮，迷不知宠之门[17]。

忠何罪以遇罚兮，亦非余心之所志[18]。
行不群以巅越兮[19]，又众兆之所咍[20]。

纷逢尤以离谤[21]兮，謇[22]不可释也。
情沉抑[23]而不达兮，又蔽而莫之白[24]。

心郁邑余侘傺[25]兮，又莫察余之中情。
固烦言不可结诒[26]兮，原陈志而无路。

退静默而莫余知兮，进号呼又莫吾闻。
申侘傺之烦惑兮，中闷瞀之忳忳[27]。

昔余梦登天兮，魂中道而无杭[28]。
吾使厉神[29]占之兮，曰："有志极而无旁[30]。"

"终危独以离异兮？"曰："君可思而不可恃。

故众口其铄金[31]兮，初若是而逢殆[32]。

惩于羹者而吹齑[33]兮，何不变此志也？
欲释[34]阶而登天兮，犹有曩[35]之态也。

众骇遽[36]以离心兮，又何以为此伴[37]也？
同极而异路兮，又何以为此援也？

晋申生[38]之孝子兮，父信谗而不好[39]。
行婞直而不豫[40]兮，鲧功用而不就[41]。”

吾闻作忠以造怨[42]兮，忽谓之过言[43]。
九折臂而成医[44]兮，吾至今而知其信然。

矰弋机[45]而在上兮，罻罗张[46]而在下。
设张辟以娱[47]君兮，原侧身[48]而无所。

欲儃佪以干傺[49]兮，恐重患而离尤[50]。
欲高飞而远集[51]兮，君罔谓女何之[52]？

欲横奔而失路[53]兮，坚志而不忍。
背膺牉[54]以交痛兮，心郁结而纡轸[55]。

梼木兰以矫[56]蕙兮，糳[57]申椒以为粮。
播江离与滋[58]菊兮，原春日以为糗[59]芳。

恐情质[60]之不信兮，故重[61]著以自明。
矫兹媚以私处[62]兮，愿曾思而远身[63]。

【注释】

①惜诵：以悼惜的心情来陈述自己因直言进谏而遭谗被疏的事实。惜：悼惜。诵：进谏。愍：忧患。

②所作忠：古誓词，一说“所非忠”。

③五帝：五方天神。折中：判断。

④六神：六宗之神，谓日、月、星、水旱、四时、寒暑的神。与：通“以”。嚮服：对证有无罪状。嚮：通“向”。

⑤山川：名山大川之神。备御：备用，指陪审。

⑥咎繇(gāo yáo)：即“皋陶”，舜的法官。听直：听其罪罚之当值。

⑦赘肬(yóu)：身上多余的肉。

⑧儇(xuān)：轻佻。

⑨谊：通“义”。

⑩羌：乃。

⑪惟：思。

⑫众兆：众庶兆民。

⑬豫：犹豫。

⑭不可保：不得自保。

⑮疾：急切，极力。

⑯不贰：专一。

⑰宠之门：邀宠之门。

⑱志：知。

⑲巅越：颠蹶。

⑳咍(hāi):嗤笑。
㉑纷:盛。逢尤:姜亮夫《屈原赋校注》中释为蜂拥。离谤:遭到诽谤。离:遭遇。
㉒謇(jiǎn):言辞不顺利。
㉓沉抑:沉闷、压抑。
㉔白:表露。
㉕郁邑:通"郁悒",愁闷。侘傺(chà chì):失意。
㉖烦言:絮烦之言。结诒:封寄。
㉗闷瞀(mào):即闷懑,心绪烦闷。忳(tún)忳:烦闷的样子。
㉘无杭:当为"方沆"之误,即彷徨。
㉙厉神:灵神,为人们占梦的灵巫。
㉚志极:中正之道。旁:辅佐,帮助。
㉛众口其铄金:众人的言论能够熔化金属,比喻众口同声可混淆视听。
㉜若是:如此。殆:危险。
㉝惩:戒。羹:滚汤。齑(jī):切成细末的菜,是冷食品。
㉞释:姜亮夫《屈原赋校注》释为"置"。
㉟曩(nǎng):往昔。
㊱骇遽:惊惧。
㊲伴:姜亮夫《屈原赋校注》谓与下文"又何以为此援也"之"援"为叠韵联绵字,分作两韵字用,为古诗用韵之一法。伴援:"畔援",义为跋扈。
㊳申生:晋献公的太子。

㊴信谗：晋献公听信后妻骊姬谗言，申生被迫自杀。好：爱。

㊵婞(xìng)直：刚直。豫：逸豫，引申为宽和。

㊶鲧(gǔn)：即“鲧”，禹的父亲。功用而不就：指鲧因为治水不成，被舜所杀。

㊷作忠：作忠臣。造怨：招来嫉怨。

㊸忽：忽略。过言：过甚其辞的言论。

㊹九折臂而成医：古成语云“九折臂而成良医。”或云“三折肱知为良医。”三、九皆虚数，非实指，意为经验多了，可成良医。

㊺矰弋(zēng yì)：带绳线发射的箭。机：弩机，此处作动词用，指张机待发。

㊻罻(wèi)罗：捕鸟的网。张：张设。

㊼张辟(bì)：亦作“机臂”，捕捉鸟兽的工具，一说为弩身。娱：通“虞”，欺骗。

㊽侧身：侧身远避。

㊾儃佪(chán huái)：徘徊。干傺：干进、求进。

㊿重患：增加祸患。离：遭。尤：过。

51集：止集。

52罔谓：无谓，岂不会说。之：往。

53横奔而失路：放开脚步奔行而迷失道路。

54膺：胸。牉(pàn)：分。

55纡：萦绕。轸(zhěn)：痛。

56梼(táo)：一作“擣”(dǎo)，即“捣”字。矫：揉。

57糳(zuò)：舂。

⑸滋：通“莳”，即栽、种。
⑼糗(qiǔ)：干粮。
⑽情质：姜亮夫《屈原赋校注》谓“犹今言情之所衷”。
⑾重：郑重。
⑿娇：即“挢(jiǎo)”，举。媚：好。私处：自处。
⒀曾思：反复思量。远身：隐身远去。

【译文】

以悼惜的心情陈述往事，倾吐忧思和愤懑的感情。
我讲的话如果说不忠实，那么苍天完全可以作证。
还要命五帝来公平判断，请求六神给我对质澄清。
最好让山川之神来陪审，还可让皋陶把是非辨明。
竭尽忠诚之心侍奉国君，反而遭到排挤孤苦伶仃。
不愿轻佻取媚与众不同，只好等待了解我的贤君。
我的言行一致可以考察，我的表里如一不会变化。
没有比国君更了解臣子，因此无须远求证明方法。
我的原则是先君而后己，正是这样遭到群小憎恨。
专一思念国君未有他意，这竟然被众人仇视极深。
我的心志专一毫不犹豫，这样却不能够保全自己。
迫切亲近君王别无他意，这却是招祸致患的道理。
对君王没有人比我更忠，我完全把自身贫贱忘记。
一心侍奉国君毫无二心，却迷惑不解邀宠的门径。
忠诚有何罪要遭到惩罚，这不是我意料到的事情。
行为与众不同乃至摔跤，这样又遭到很多人嗤笑。
经常受到责怪遭到诽谤，纵有百口解释也难办到。

心情沉闷感情不能抒发，思想压抑语言难以表达。
我的心里忧郁深感不安，又无人了解我心中忧思。
本来话多难用文字表达，想陈述志向也毫无办法。
要退避不说无人理解我，向前申诉又不听我的话。
我真疑惑不解心中不安，十分忧伤心里苦闷烦乱。
过去我曾梦见自己登天，魂到中途就失去了渡船。
我请厉神占卜梦的凶吉，他说："志向远大没人帮助。"
"难道我始终要孤独受疏？"他说："君可思念却靠不住。
群小谗言足以融化金子，从前就是这样才遇危难。
热汤烫过的人冷菜也吹，为何不把你的态度改变？
你想丢掉梯子而去登天，这种为人态度还像以前。
众人惊惊慌慌人心不齐，你又为什么要这样倔强？
同事一君走不同的道路，你又为什么要这样强项？
晋国太子申生是个孝子，父亲听信谗言说他不善。
鲧的行为耿直而不犹豫，他治水功业就无法建立。"
我听说忠诚会带来怨恨，认为言过其实并不注意。
多次折臂才能成为良医，我今天才知道这是真理。
这个世道上面弓矢暗藏，下面张设着害人的罗网。
设置弓矢罗网讨好国君，想避祸也无容身的地方。
想徘徊着等待进取时机，又担心再一次遭到祸殃。
打算走吧我想远走高飞，国君要问你去什么地方。
想要变节易操不择正道，自己意志坚定不忍如此。
我胸背像开裂一样疼痛，我的心情郁结痛苦难当。
把木兰捣碎把蕙草揉细，舂好申椒作为自己食粮。
我栽种江离又培养菊花，希望到了春天成为干粮。

唯恐无以表白心中真情，所以一再重述自己苦心。
我保持这些美德而独处，愿能深思熟虑自爱洁身。

涉　江[①]

屈　原

【原文】

余幼好此奇服兮，年既老而不衰[②]。
带长铗之陆离兮，冠切云之崔嵬[③]。
被明月兮佩宝璐[④]。
世溷浊而莫余知兮，吾方高驰而不顾[⑤]。
驾青虬兮骖白螭，吾与重华游兮瑶之圃[⑥]。
登昆仑兮食玉英[⑦]。
与天地兮同寿，与日月兮齐光。
哀南夷之莫吾知兮，旦余济乎江湘[⑧]。
乘鄂渚而反顾兮，欸秋冬之绪风[⑨]。
步余马兮山皋，邸余车兮方林[⑩]。
乘舲船余上沅兮，齐吴榜以击汰[⑪]。
船容与而不进兮，淹回水而凝滞[⑫]。
朝发枉渚兮，夕宿辰阳。
苟余心其端直兮，虽僻远[⑬]之何伤！
入溆浦余儃佪兮，迷不知吾所如[⑭]。
深林杳以冥冥兮，乃猿狖[⑮]之所居。
山峻高以蔽[⑯]日兮，下幽晦以多雨。

霰雪纷其无垠兮，云霏霏而承宇[17]。
哀吾生之无乐[18]兮，幽独处乎山中。
吾不能变心而从俗[19]兮，固将愁苦而终穷。
接舆髡首兮，桑扈臝行[20]。
忠不必用兮，贤不必以[21]。
伍子逢殃兮，比干菹醢[22]。
与[23]前世而皆然兮，吾又何怨乎今之人！
余将董道而不豫兮，固将重昏[24]而终身。
乱[25]曰：
鸾鸟凤皇，日以远[26]兮。
燕雀乌鹊，巢[27]堂坛兮。
露申辛夷，死林薄[28]兮。
腥臊并御，芳不得薄[29]兮。
阴阳易位[30]，时不当兮。
怀信侘傺，忽[31]乎吾将行兮。

【注释】

①选自《楚辞》。"涉江"即渡江。是屈原被流放江南地区时所写。作品叙述了诗人流放江湘一带的行程和心情。尽管路途坎坷艰险，处境幽僻孤独，但是诗人愤世嫉俗宁折不弯，不与黑暗势力妥协的斗志不变，坚持正道的决心和忠信的崇高情操不变。

②奇服：奇异美丽的服装，比喻非同一般的德才。衰：减弱。

③铗(jiá)：剑柄，此指剑。陆离：长的样子。冠：帽子，此作动词，戴。切云：冠名。崔嵬：高耸的样子。

④被：通"披"。明月：珍珠名，即夜光珠。宝璐(lù)：美玉。

⑤溷(hùn)浊:混浊。方:将。高驰:高高飞驰,比喻志行高尚,决不媚俗。顾:回头。

⑥虬(qiú):传说中的一种龙。骖(cān):此作动词。意为将白螭驾于车前两边。螭(chī):传说中一种与龙相似的动物。圃:花园。

⑦食玉英:比喻坚持理想,进修才德。

⑧南夷:相当于说“南蛮”,指楚国南部的少数民族。莫吾知:即莫知吾,没有人了解我。旦:清晨。济:渡。乎:于。江:长江。湘:湘江。

⑨鄂渚:地名,在今武昌。欸(āi):叹息。绪风:大风。

⑩邸:通“抵”。方林:大树林。

⑪舲(líng)船:有篷窗的小船。上沅:溯沅水而上。齐:一齐,同时并举。吴榜:大桨。汰:水波。

⑫淹:滞留。回水:回旋的水流。凝滞:停滞不前。

⑬僻远:偏远的地方。

⑭溆(xù)浦:地名,即溆水之滨。儃佪(chán huí):徘徊不前。如:往。

⑮猿狖(yòu):泛指猿猴。

⑯蔽:遮蔽。

⑰霰(xiàn):雪珠,小冰粒。垠(yín):边。承:连接。宇:天宇,天空。

⑱无乐:没有欢乐。

⑲从俗:顺从世俗。

⑳接舆:春秋时楚国隐士。髡(kūn):剔发,古代一种刑罚。桑扈(hù):古代隐士。臝行:裸体而行。

㉑以:用。

㉒伍子:春秋时吴国大夫伍员(yún),字子胥,他忠于吴国,直言敢谏,终被吴王夫差逼死。比干:殷纣王贤臣,因向纣王进谏,被剖腹挖心而死。菹醢:古代把人剁成肉酱的酷刑。这里借指比干死得惨。

㉓与：通“举”，全部。
㉔董道：正道。豫：犹豫。重昏：忧患重重。
㉕乱：音乐的尾声。
㉖日以远：一天比一天远。
㉗巢：筑巢。
㉘露申：即瑞香花。林薄：丛林。
㉙御：进用。薄：靠近。
㉚易位：交换了位置。
㉛忽：飘忽，没有着落的样子。

【译文】

我自幼就喜欢这种奇装异服，年纪虽然老了兴致仍不减退。

佩带着长剑光耀美丽，头戴的切云冠耸立巍巍。

身披明月之珠腰缀美玉。

但举世混浊没人了解我，我正向高处奔驰一点不回顾。

有角青龙驾辕无角白龙拉套，我与舜帝重华同游瑶圃。

登上昆仑山以玉之精英为食。

要与天地同样万寿无疆，要与日月一齐永放光芒。
哀痛南夷之人都不理解我，天亮后我将渡过长江湘江。
登上鄂渚回头看看来路，慨叹秋冬两季大风凌厉。
让我的马在水边高地散步，将我的车在方林那里停息。
我乘着有窗的船只上溯沅水，一齐挥动大桨劈波斩浪。
船只慢吞吞不能前进，在逆流中凝滞彷徨。
早晨便从枉渚出发，晚上便止宿在辰阳。
只要我内心端正忠直，再幽僻荒远又有什么损伤。
进入溆浦我踌躇徘徊，心中迷乱不知我要去哪里。
深深的树林幽远晦暗，乃是猿猴群居栖息之地。
山峰高大险峻把太阳遮蔽，下面幽深黑暗而又多阴雨。
雪珠雪花纷飞无边无际，浮云流动低垂下接屋宇。
哀痛我这一生没一点乐趣，深居独处就在大山之中。
我不能改变心志追随流俗，所以怀着愁苦而终身穷困。
狂者接舆像罪人自行剃发，隐士桑扈脱衣服裸身而行。
忠者不一定为世所用，贤者不一定受任命。
岂不见伍子胥身逢祸殃，比干被剁成肉酱惨遭酷刑。
啊，以前的世代也都是这样，我又何必怨恨现今的人。
我将依着正道而不犹豫，哪怕困于黑暗终身不见光明。
尾声唱道：
鸾鸟凤凰那些俊鸟，一天天地远飞难找。
燕雀乌鹊那些凡鸟，却在庙坛上筑巢。
申椒与辛夷那些香草香木，都在杂树丛中枯死凋零。
腥臊臊臭一起进用，芳香反而不能靠近。
阴与阳已经颠倒位次，时令节序也不得当。

满怀忠信却惆怅失意，飘飘忽忽我将远行他方！

哀郢[1]

【原文】

皇天之不纯[2]命兮，何百姓之震愆[3]？
民离散而相失兮，方仲春[4]而东迁。

去故乡而就远兮，遵江夏[5]以流亡。
出国门而轸怀[6]兮，甲[7]之朝吾以行。

发郢都而去闾[8]兮，怊荒忽其焉极[9]？
楫[10]齐扬以容与兮，哀见君而不再得。

望长楸[11]而太息兮，涕淫淫[12]其若霰。
过夏首[13]而西浮兮，顾龙门[14]而不见。

心婵媛而伤怀兮，眇不知其所蹠[15]。
顺风波以从流兮，焉洋洋[16]而为客。

凌阳侯[17]之泛滥兮，忽翱翔之焉薄[18]？
心絓结[19]而不解兮，思蹇产而不释[20]。

将运舟而下浮兮，上洞庭而下江。

去终古之所居兮，今逍遥而来东。

羌灵魂之欲归兮，何须臾[21]而忘反！
背夏浦而西思[22]兮，哀故都之日远。

登大坟[23]以远望兮，聊以舒吾忧心。
哀州土之平乐兮，悲江介之遗风[24]。

当陵阳[25]之焉至兮，淼南渡之焉如[26]？
曾不知夏之为丘[27]兮，孰两东门[28]之可芜？

心不怡之长久兮，忧与愁其相接。
惟郢路之辽远兮，江与夏之不可涉。

忽若[29]去不信兮，至今九年而不复。
惨郁郁而不通[30]兮，蹇侘傺而含感[31]。

外承欢之汋约[32]兮，谌荏弱而难持[33]。
忠湛湛而愿进[34]兮，妒被离而鄣[35]之。

尧、舜之抗行[36]兮，瞭杳杳而薄[37]天。
众谗人之嫉妒兮，被以不慈之伪名[38]。

憎愠惀[39]之修美兮，好夫人之慷慨[40]。
众踥蹀[41]而日进兮，美超远而逾迈[42]。

乱[43]曰：

曼余自以流观[44]兮，冀壹反[45]之何时？

鸟飞反故乡兮，狐死必首丘[46]。

信非吾罪而弃逐[47]兮，何日夜而忘之[48]？

【注释】

①《哀郢》就是哀念郢都。楚顷襄王十一年(公元前278年)春天，郢都被秦将白起攻破，顷襄王东迁于陈，百姓妻离子散，流离失所。屈原以此为背景，在流放江南陵阳时创作了这首诗。《哀郢》首先回忆当年离别郢都时悲哀难舍的心情和放逐东迁时经历的艰难险阻，以及时刻眷念故乡郢都的悲怆之心。接着写诗人对腐败误国的谗人和昏聩无能偏听偏信的楚王的痛恨之情。最后以鸟返故乡、狐死首丘作比，表现了诗人爱国爱民、渴望返回故乡郢都的赤诚感情。

②纯：正，常。

③震：震动。愆(qiān)：罪过，遭罪。

④方：当，正当。仲春：夏历二月。

⑤夏：夏水，长江的分支。

⑥国门：都门，都城的门。轸(zhěn)怀：痛心。

⑦甲：古代以"十干"(甲、乙、丙、丁、戊、己、庚、辛、壬、癸)和"十二支"(子、丑、寅、卯、辰、巳、午、未、申、酉、戌、亥)相配纪日，甲指甲日。

⑧郢都：春秋时楚国都城，在今湖北省江陵县。闾(lǘ)：里门，此指家乡。

⑨怊(chāo)：忧愁。焉：何，哪里。极：尽头。

⑩楫(jí)：船桨。

⑪长：高大。楸(qiū)：树名，即梓树，落叶乔木。

⑫淫淫：形容泪流不止。
⑬夏首：夏水口。
⑭龙门：郢都东门。
⑮蹠(zhí)：踏，落脚。
⑯焉：于是。洋洋：漂泊不定的样子。
⑰凌：登，乘着。阳侯：波浪之神，此指波浪。
⑱忽：飘忽的样子。薄：通“泊”，停泊。
⑲絓(guà)结：牵挂郁结。
⑳思：思绪。蹇产：曲折，不顺畅。释：消解。
㉑须臾(yú)：片刻。
㉒背：背向，背离。西思：思念西边的故乡。
㉓坟：水边高地或堤防。
㉔江介：长江两岸。遗风：古代遗留下来的好风俗。
㉕当：到，抵达。陵阳：地名，在今安徽青阳县陵阳镇，是屈原向东流放的终点。一说“陵阳”即“陵阳侯”。
㉖淼(miǎo)：大水茫茫的样子。如：往。

㉗夏：通“厦”，指郢都的宫殿。丘：土丘，此作废墟解。
㉘两东门：郢都东关的两座城门。
㉙忽：迅速。若：好像，似乎。
㉚通：通畅，舒畅。
㉛蹇侘傺：潦倒失意的样子。慼：通“戚”，忧愁。
㉜外：外表，外貌。承欢：讨人喜欢，献媚。汋(chuò)约：通“绰约”，姿态柔美的样子。
㉝谌(chén)：诚然，确实。荏(rěn)弱：软弱。持：通“恃”，依靠。
㉞湛湛(zhàn)：淳厚朴实的样子。愿进：愿被任用，为国效力。
㉟被离：通“披离”，众多杂乱的样子。鄣：通“障”，遮蔽，阻碍。
㊱尧、舜：唐尧、虞舜，传说中的上古圣君。抗：通“亢”，高尚。行：行为，德行。
㊲瞭：眼光明亮。杳杳：高远的样子。薄：接近。
㊳被：加在身上。不慈：对子女不慈爱。伪名：捏造的罪名。尧、舜都没有把帝位传给自己的儿子而被谗人指责为“不慈”。
㊴愠惀：忠诚的样子。
㊵夫(fú)：那些。慷慨：指巧言令色，能说会道。
㊶众：指谗人。踥蹀(qiè dié)：小步行走的样子。
㊷美：指贤臣。超：远。逾迈：愈加疏远。
㊸乱：古代乐歌中的尾声，在辞作中是全篇的结语。
㊹曼：伸展。流观：四处观望。
㊺冀：希望。壹反：即一返，回去一趟。
㊻首丘：头向山丘，相传狐狸死时总要把头朝向它所生长的山丘。
㊼信：实在，的确。弃逐：放逐，流放。
㊽之：指郢都。

【译文】

皇天竟这样喜怒无常，为什么叫百姓遭祸殃。
妻离子散，家破人亡，仲春二月，迁逃东方。
离开了家乡到远处去啊，沿着长江夏水四处流亡。
走出郢都城门我心悲痛，开始远行就在甲日早上。
从郢都出发，离开家园，我神情恍惚，天涯茫茫。
大家齐举桨，航船慢行，哀伤我不能再见君王。
遥望高挺的楸树喟然长叹，雪珠般的热泪啊滚滚流淌。
船过了夏水源头就向西行，回眺郢都再不见东门城墙。
我心眷恋牵挂满怀悲怆，前程渺茫不知落脚何方。
顺从风波漂流江河之上，四海漂泊客居沦落他乡。
顶着阳侯水神的滔滔波浪，船像孤雁不知向何处翱翔。
我心绪郁结难以解开，我情思纠缠怎能舒畅。
我将驾船飘浮而下，告别洞庭进入长江。
离开世代所居故土，只身浪迹来到东方。
梦萦魂牵想归故里，何曾片刻忘返家乡？
船离夏浦思恋西边，哀悲故都日渐渺茫。
登上大堤极目远望，聊以舒散我的惆怅。
感慨这里人民还安居乐业，悲叹江边古风恐不能久长。
抵达陵阳后不知去向，江水浩淼南渡何方？
谁料到郢都宫室变为废墟，谁料到东门内外竟会荒凉！
我心情不悦已很长久，旧忧未消又添上新愁。
郢都的道路那么辽远，长江夏水把归途隔断。
光阴似箭真令人难信，至今九年我未返郢都。
郁积的思绪难解难通，困顿失意我愁眉颦蹙。

外表一副邀宠的媚态，实质软骨头难以依赖。
忠心耿耿愿为国效力，小人嫉妒横设下障碍。
唐尧虞舜的崇高德行，像日月经天高不可攀。
众谗人嫉妒尧舜品格，竟加给他们不慈伪名。
憎愠忠臣的高风美德，偏好小人的巧言令色。
谗人献媚却日日高升，君子超俗却愈加疏远。
尾声：
我纵眼向四方遥望，何时如愿回归一趟？
鸟儿终要飞回故乡，狐狸临死头朝丘岗。
我确实无罪竟遭弃逐，哪天哪夜不怀恋故乡！

抽　思[1]

【原文】

心郁郁之忧思兮，独永叹乎增伤。
思蹇产之不释兮，曼遭夜之方长。

悲秋风之动容[2]兮，何回极之浮浮[3]！
数惟荪[4]之多怒兮，伤余心之忧忧。

愿摇起而横奔[5]兮，览民尤[6]以自镇。
结[7]微情以陈辞兮，矫以遗夫美人[8]。

昔君与我成言兮，曰黄昏以为期。

羌中道而回畔[9]兮，反既[10]有此他志。

憍吾以其[11]美好兮，览余以其修姱。
与余言而不信兮，盖为余而造怒[12]。

愿承间而自察[13]兮，心震悼[14]而不敢。
悲夷犹[15]而冀进兮，心怛伤之憺憺[16]。

兹历[17]情以陈辞兮，荪详[18]聋而不闻。
固切人[19]之不媚兮，众果以我为患。

初吾所陈之耿著[20]兮，岂不至今其庸亡[21]？
何独乐斯之謇謇[22]兮？愿荪美之可光[23]。

望三五以为像[24]兮，指彭咸以为仪[25]。
夫何极而不至[26]兮，故远闻而难亏[27]。

善不由外来兮，名不可以虚作。
孰无施[28]而有报兮，孰不实[29]而有获？

少歌[30]曰：
与美人抽思[31]兮，并日夜而无正。
憍吾以其美好兮，敖朕[32]辞而不听。

倡[33]曰：

有鸟自南兮，来集汉北[34]。
好姱佳丽兮，牉[35]独处此异域。
既惸[36]独而不群兮，又无良媒[37]在其侧。
道卓[38]远而日忘兮，愿自申[39]而不得。
望北山[40]而流涕兮，临[41]流水而太息。

望孟夏[42]之短夜兮，何晦明[43]之若岁！
惟郢路[44]之辽远兮，魂一夕而九逝[45]。

曾不知[46]路之曲直兮，南指月与列星。
愿径逝[47]而不得兮，魂识路之营营[48]。

何灵魂之信直兮，人之心不与吾心同！
理弱而媒[49]不通兮，尚不知余之从容[50]。

乱曰：

长濑湍[51]流，溯江潭[52]兮。
狂顾南行，聊以娱心兮。

轸石崴嵬[53]，蹇[54]吾愿兮。
超回志度[55]，行隐进[56]兮。

低徊夷犹[57]，宿北姑[58]兮。
烦冤瞀[59]容，实沛徂[60]兮。

愁叹苦神，灵遥思兮。
路远处幽，又无行媒兮。

道思作颂，聊以自救兮。
忧心不遂[61]，斯言谁告[62]兮！

【注释】

①《抽思》写于楚怀王后期，是屈原初次被斥逐流放汉北时的作品，与创作《离骚》的时间相差不远。“抽”，抽绎分析，清理头绪；“思”，情思哀怨。抽思即缕述纷繁复杂的思绪和抒写悲伤怨恨的心情。《抽思》可分前后两部分。第一部分从开头到“敖朕辞而不听”，叙述诗人对楚怀王喜好谗谀、自以为是、出尔反尔、喜怒无常的愤懑和诗人爱国忧民、忠言直谏得不到楚王理解的哀伤。第二部分从“倡曰：有鸟自南兮”到结尾，抒写诗人流放汉北的颠沛流离、形只影单的痛苦心情和渴望由贤人疏通重受楚王信任以实现美政、重返故乡郢都的良好愿望。《抽思》写得情真意切，缠绵悱恻，一唱三叹，如

泣如诉。

②容:大自然的面貌。

③回极:指北极星。浮浮:动的样子。

④数(shuò):屡次。惟:思。荪:香草名,喻楚怀王。

⑤摇起:王念孙《读书杂志》:“摇起,疾起也。与横奔,文正相对。”横奔:不按道路走,乱跑。

⑥尤:罪,苦难。

⑦结:集结。

⑧娇:举。美人:喻楚怀王。

⑨中道:中途。回畔:背叛,翻悔。畔:通“叛”。

⑩既:已经。

⑪憍:通“骄”,骄傲,夸耀。其:指楚怀王。

⑫盖(hé):通“盍”,何以,为什么。造怒:故意找茬发火。

⑬间:间隙,机会。承间:趁合适的机会。察:表白。

⑭震悼:又害怕又悲伤。

⑮夷犹:犹豫。

⑯怛(dá):悲伤。憺(dàn)憺:通“惔(tán)惔”,被火焚烧的样子,此指忧心如焚。

⑰历:列举。

⑱详:通“佯”,假装。

⑲切人:真诚直率的人。

⑳耿著:明白清楚。

㉑庸:乃,就。亡:通“忘”。

㉒乐(yào):喜欢,爱好。斯:此,这。謇(jiǎn)謇:忠直敢言。

㉓光:发扬光大。

㉔望三五：指三王(夏禹、商汤、周文王)五霸(春秋时的齐桓公、晋文公、秦穆公、宋襄公、楚庄王)。像：榜样。

㉕仪：楷模。

㉖极：目的地。至：到达。

㉗闻：名声。亏：减损。

㉘施：给予，施舍。

㉙实：动词，结出果实。

㉚少歌：古代乐章音节的名称。从音乐形式看，它可能是乐歌中间穿插的小合唱；从诗的结构来看，它是前半篇的小结。

㉛抽：抽绎，引出。思：情思。

㉜敖：通"傲"。朕：我的。

㉝倡：通"唱"，也是音乐章节的名称。从音乐形式看是另外起唱；从诗的结构上看，是另起一层。

㉞集：鸟栖于树。汉北：汉水以北。

㉟胖(pàn)：分离。

㊱惸(qióng)：通"茕"，孤独。

㊲良媒：好媒人，比喻替自己向楚王说情的人。

㊳卓：通"逴(chuō)"，与"远"同义。

㊴申：申诉。

㊵北山：疑指郢都附近的山，指代故乡。

㊶临：面对。

㊷孟夏：初夏，相当于农历四月。

㊸晦明：从天黑到天亮，指一夜。

㊹郢路：去郢都的路。

㊺九逝：比喻多次往复。

㊻曾不知：不曾知。
㊼径逝：径直而去。
㊽营营：往来忙碌的样子。
㊾理：使者，媒人。媒：动词，说合。
㊿从容：举止行为，情形。
(51)濑(lài)：浅滩。湍：急流。
(52)潭：深水。
(53)轸(zhěn)石：扭曲的怪石。崴嵬(wēi wéi)：突兀不平的样子。
(54)蹇：阻碍。
(55)超：超越。回：指回汉北。志度：考虑。
(56)行：前进。隐：停滞不前。进：郭沫若校作“难”。
(57)低徊：徘徊。夷犹：犹豫。
(58)北姑：地名。
(59)瞀(mào)：心绪烦乱。
(60)实：实在由于。沛徂(cú)：颠沛流离。

⑥1遂:顺畅。
⑥2斯:此。谁告:告谁。

【译文】

心中抑郁充满忧思,独自长叹愈加悲伤。
愁思纠缠释解不开,时逢黑夜偏又漫长。
悲叹秋风让景色变样,何以北极星也在浮荡。
常想起楚王容易恼怒,这使我内心忧愁感伤。
有时候我真想任性而行,见人民苦难又镇定自忍。
我把细微情思结成言词,高举着献给敬爱的楚王。
昔日君与我已经说定,我们的佳期定在黄昏。
谁料想你却中途反悔,因为你已经有了他心。
你常向我炫耀你娇贵美好,你常向我显示你花容月貌。
你与我说的誓言全不信守,你无缘无故对我怒吼暴跳。
我愿找时机表白心迹,却心惊胆战不敢张嘴。
我悲哀犹豫盼望进言,心中的创伤好似火燃。
我历述衷情向你陈辞,你装聋作哑充耳不闻。
原本正直人不会谄媚,众小人果然视我为祸根。
当初我的陈述明确显著,难道至今你已经忘光?
为何我独爱忠言直谏?唯愿您美德愈加辉煌。
三王五霸是你的榜样,贤臣彭咸是我的样板。
有什么目标不能达到?美名远播想诋毁亦难。
美善不是外来的结果,名誉不靠虚假的做作。
谁能不施予就有回报?谁能不播种就有收获?
短歌:

我向君王条分缕析了胸臆，白天和黑夜都没有人作证。
他总是自恃美貌感觉良好，对我的真情直言傲慢不听。
唱道：
有只鸟儿来自南方，栖息于汉北的树上。
它异常端丽和漂亮，却离群独处在异乡。
既形单影只独来独往，又没有良媒在它身旁。
道路遥远日益被人淡忘，想申诉衷肠又没有对象。
凝望北山痛哭流涕，面朝流水叹息感伤。
望着初夏的短暂夜晚，为何我竟会度夜如年。
去郢都的路多么辽远，灵魂一夜竟来往九遍。
我的灵魂还不知路途曲直，靠南天的月亮星星辨别方向。
想找捷径前往却未觅得，灵魂整夜识路碌碌奔忙。
这灵魂多么守信和正直，别人的心与我的不相同。
使者媒人无法引荐疏通，尚无人知晓我现在情形。
尾声：
浅滩长，湍流急，溯江而上深水里。
急急回顾朝南行，聊以自娱慰心情。
怪石崔嵬又嶙峋，阻我回乡的愿望。
到底北回或南渡，进退两难费思量。
徘徊犹豫在歧路，暂且投宿到北姑。
忧愁烦闷眉颦蹙，颠沛流离心中苦。
愁眉苦脸长叹息，灵魂遥思恋郢都。
道路旷远居处幽，又无良媒传衷肠。
一路哀思成此诗，聊以自救解悲伤。
忧戚之心终不畅，我这话儿对谁讲！

怀 沙

【原文】

滔滔孟夏兮，草木莽莽。
伤怀永哀兮，汩徂[1]南土。

眴[2]兮杳杳，孔静幽默。
郁结纡轸[3]兮，离慜而长鞠[4]。

抚情效志兮，冤屈而自抑。
刓方以为圜[5]兮，常度未替[6]。

易初本迪[7]兮，君子所鄙。
章画志[8]墨兮，前图未改。

内厚质正兮，大人所晟。
巧倕不斲[9]兮，孰察其揆正？

玄文处幽兮，矇瞍谓之不章[10]。
离娄微睇[11]兮，瞽[12]谓之不明。

变白以为黑兮，倒上以为下。
凤皇在笯[13]兮，鸡鹜[14]翔舞。

同糅玉石兮，一概而相量。
夫惟党人鄙固兮，羌不知余之所臧[15]。

任重载盛兮，陷滞而不济。
怀瑾握瑜[16]兮，穷不知所示。

邑犬群吠兮，吠所怪也。
非俊疑杰兮，固庸态也。

文质疏内兮，众不知余之异采。
材朴委积[17]兮，莫知余之所有。

重仁袭义兮，谨厚以为丰。
重华不可遌[18]兮，孰知余之从容！

古固有不并兮，岂知何其故！
汤禹久远兮，邈[19]而不可慕。

惩连改忿兮，抑心而自强。
离闵而不迁兮，原志之有像。

进路北次兮，日昧昧其将暮。
舒忧娱哀兮，限之以大故[20]。

乱曰：

浩浩沅湘，分流汩[21]兮。
修[22]路幽蔽，道远忽兮。
曾唫[23]恒悲兮，永慨叹兮。
世既莫吾知兮，人心不可谓兮。

怀质抱青，独无匹兮。
伯乐既没，骥焉程[24]兮。

民生禀命，各有所错[25]兮。
定心广志，余何畏惧兮！

曾伤爰哀[26]，永叹喟兮。
世溷浊莫吾知，人心不可谓兮。
知死不可让，原勿爱[27]兮。
明告君子，吾将以为类[28]兮。

【注释】

①汩(yù)徂:急行。

②眴:通“瞬”,看的意思。

③纡轸:委曲而痛苦。

④离愍(mǐn):遭忧患。鞠:困穷。

⑤刓(wán)方以为圜(yuán):把方的削成圆的。刓:削。圜:通“圆”。

⑥常度:正常的法则。替:废也。

⑦易初:变易初心。本迪:变道。

⑧章:明也。志:记也。

⑨倕(chuí):人名,传说是尧时的巧匠。斲(zhuó):砍,削。

⑩矇瞍(méng sǒu):瞎子。章:文彩。

⑪离娄:传说中的人名,善视。睇(dì):微视。

⑫瞽(gǔ):瞎子。

⑬笯(nú):竹笼。

⑭鹜:鸭子。

⑮臧:通“藏”,指藏于胸中的抱负。

⑯瑾、瑜:均指美玉。

⑰委积:丢在一旁堆着。

⑱遌(è):遇。

⑲邈:遥远。

⑳大故:死亡。

㉑汩:指水流疾貌,或为水的急流声。

㉒修:长。

㉓唫:通“吟”。据《史记》补入“曾唫恒悲兮,永慨叹兮。世既莫吾知兮,人心不可谓兮”。

㉔焉：怎么，哪里。程：量也。
㉕错：通"措"，安排。
㉖曾：通"增"。爰(yuán)哀：悲哀无休无止。
㉗爱：吝惜。
㉘类：法则。

【译文】

初夏天气暖和风清日朗，百草万木茂盛蓬勃生长。
我心中忧愁啊无限悲哀，要急急忙忙地奔向南方。
瞻望前途眼前茫茫一片，四周非常寂静毫无声响。
委曲和痛苦啊郁结心里，遭受忧患穷困日子已长。
扪心自问评析自己心意，深受冤枉仍要克制自己。
要把方的木头削成圆的，正常的法度又不敢废弃。
要改变当初坚持的正道，正直的人就会认为可鄙。
规矩绳墨应该明确牢记，前人的法度也不能变易。
为人内心忠厚品质端正，这正是前代圣贤所赞许。
如果巧匠不动他的斧头，谁又能知道曲直标准呢？
黑色花纹放在幽暗地方，人们像瞎子说它不漂亮。
离娄看东西只略瞥一眼，盲人认为他和自己一样。
把白的颜色说成是黑的，把下的颠倒过来作为上。
美丽的凤凰被关在笼里，却让鸡和鸭自由地飞翔。
把美玉和顽石混在一起，认为它们本来一模一样。
想来党人多么卑鄙顽固，全不了解我的纯洁高尚。
我肩负时代赋予的重任，却又陷入困境难以担当。
尽管我保藏珍宝和美玉，穷困中也无法向人献上。

村里的群狗在乱叫乱嚷，是它们见到奇怪的形象。
否定英雄人物怀疑豪杰，本是庸人们惯用的伎俩。
我的外表疏放语言迟钝，众人不知我的才能非常。
如有用的木料堆积一旁，人们哪知我潜在的力量。
我重视品德才能的积累，为人谨慎忠厚加强修养。
虞舜已经不能再遇到了，谁又理解我的一举一动？
自古以来圣贤生不同时，哪里知道为什么会这样？
商汤夏禹离我们太远了，远得使我们没法去瞻仰。
今后我不必再怨恨愤怒，克制内心使自己更坚强。
既是遭受忧患也不改变，希望心中有学习的榜样。
顺着道路前进走向北方，太阳渐渐西沉暮色苍茫。
我要舒展愁眉消除悲伤，那最好的办法就是死亡。
尾声：
波涛滚滚的沅江和湘江，它们一日千里各自流淌。
漫长的道路阴暗而多阻，前途那么遥远那么渺茫。
我曾经吟咏经常悲伤啊，永远感慨叹息命运不济。

世上人既然不了解我啊，这人心还有什么好说呢。
我有美好的品质和激情，但是又有谁能为我证明。
善于相马的伯乐已死了，千里马现在又有谁品评。
人的一生既然领受天命，上天会安排每人的命运。
我要安下心来放宽胸襟，没有什么可惧怕的事情。
重重的忧伤无穷的悲哀，这心情真使我叹息不尽。
社会黑暗没有人了解我，人心叵测实在难以评说。
我知道死已是不可避免，我对生命也不愿意吝惜。
那些光明磊落的前贤哟，我将永远和他们在一起。

思美人

【原文】

思美人兮，揽涕而伫眙[①]。
媒绝路阻兮，言不可结而诒[②]。

蹇蹇[③]之烦冤兮，陷滞而不发。
申旦[④]以舒中情兮，志沉菀[⑤]而莫达。

原寄言於浮云兮，遇丰隆[⑥]而不将。
因归鸟而致辞兮，羌[⑦]迅高而难当。

高辛之灵盛[⑧]兮，遭玄鸟而致诒[⑨]。
欲变节以从俗兮，愧易初而屈志。

独历年而离愍[10]兮，羌冯心[11]犹未化。
宁隐闵而寿考[12]兮，何变易之可为。

知前辙之不遂[13]兮，未改此度。
车既覆而马颠兮，蹇[14]独怀此异路。

勒骐骥而更驾兮，造父[15]为我操之。
迁逡次[16]而勿驱兮，聊假日[17]以须时。
指嶓冢之西隈[18]兮，与纁黄[19]以为期。

开春发岁兮，白日出之悠悠。
吾将荡志而愉乐兮，遵江、夏以娱忧。

揽大薄之芳茝[20]兮，搴[21]长洲之宿莽。
惜吾不及古人兮，吾谁与玩此芳草。

解萹薄[22]与杂菜兮，备以为交佩。
佩缤纷以缭转兮，遂萎绝而离异。

吾且儃佪[23]以娱忧兮，观南人之变态。
窃[24]快在其中心兮，扬厥凭[25]而不俟。

芳与泽其杂糅兮，羌芳华自中出。
纷郁郁其远蒸兮，满内而外扬。
情与质信可保兮，羌居蔽而闻章[26]。

令薜荔以为理[27]兮，惮举趾[28]而缘木。
因芙蓉而为媒兮，惮褰裳而濡[29]足。

登高吾不说[30]兮，入下吾不能。
固朕形之不服兮，然容与[31]而狐疑。

广遂[32]前画兮，未改此度也。
命则处幽吾将罢兮，原及白日之未暮也。
独茕茕而南行兮，思彭咸之故也。

【注释】

①思美人：思念怀王，希望他能幡然改悔。美人，指楚怀王。揽：收的意思，在这里即“揩干”之意。伫眙（zhùchì）：立视。伫：立。眙：视。

②诒（yí）：赠予。

③蹇（jiǎn）蹇：通“謇謇”，忠信正直之貌。

④申旦：犹申明。

⑤沉菀（yùn）：沉闷而郁结。

⑥丰隆：云师。

⑦羌：句首语气词。

⑧灵盛：言神灵。

⑨诒：指聘礼。

⑩离愍：遭遇祸患。

⑪冯：通“凭”。冯（píng）心：愤懑的心情。

⑫隐闵：隐忍忧悯。寿考：犹言老死。

⑬遂：顺利。
⑭蹇：犹羌、乃，句首发语词。
⑮造父：周穆王时人，以善于驾车闻名。
⑯迁：迁延不进的样子。逡次：缓行。
⑰假日：费日。
⑱西隈：西面的山边。
⑲纁(xūn)黄：黄昏之时。纁，一作“曛”。
⑳揽：采摘。茝(chǎi)：一种香草。
㉑搴(qiān)：拔取。
㉒萹(biān)薄：指成丛的萹蓄一类野草。
㉓儃佪(chán huái)：徘徊。
㉔窃：私，隐藏、不公开的。
㉕扬：捐弃。厥凭：愤懑之心。
㉖闻：声名。章：通“彰”，明也。
㉗理：提婚人，媒人。
㉘惮：害怕。举趾：提起脚步。
㉙褰(qiān)：撩起，揭起。濡(rú)：沾湿。
㉚说：通“悦”。
㉛容与：迟疑不前的样子。
㉜广遂：多方求实。

【译文】

怀王啊我多么思念你啊，我揩干了涕泪久久盼望。
现在无人说合道路不畅，要说的话也无法对你讲。
正直敢言带来烦恼忧伤，愁思无从抒发郁结心上。

我常想申明心中的感情，心情沉闷压抑难以表明。
想请浮云传达这些话儿，遇到云神他却不肯讲情。
想托回郢都的鸟儿捎信，它飞得快又高很难胜任。
我不如高辛有美善德行，能够遇到玄鸟送去礼品。
要想不顾廉耻随波逐流，辱没了理想我心中有愧。
我独自多年来遭受忧患，愤懑的心情丝毫未减轻。
宁可忍受忧悯失意终身，怎么能够改变我的初心。
我知以前事情很不顺利，但也不愿改变这种态度。
尽管车已翻了马已倒下，还想走这与众不同的路。
我重新驾起千里马的车，给我赶车的是能手造父。
车儿慢慢前进不必性急，姑且费些时间等待时机。
车子向着嶓冢西边驰去，等到黄昏时候停下休息。
春天来临了一年开始了，太阳冉冉地从东方升起。
我要放松思想尽情娱乐，沿着江夏而行排遣忧虑。
我采集草木丛中的芳芷，又把长洲上的宿莽摘取。
可惜我未赶上古代贤人，又和谁欣赏这些香草呢？

拔取丛生的萹蓄和杂菜，备置它们用来左右佩带。
很多萹蓄杂菜好看一时，它们不久就已凋谢枯败。
我暂且在这里徘徊消忧，观赏一下南方人的异态。
心中暗暗地洋溢着喜悦，要把愤懑丢开不再等待。
香花和污秽混杂在一起，花香总不会被恶臭掩盖。
一阵阵的花香远远散发，馥郁香气充满里里外外。
只要外表本质的确美好，处境虽劣名声远播四海。
想用薜荔给我去作媒介，我又不愿抬脚上树去摘。
想让荷花帮我前去说合，我又不愿提裳下水去采。
上树摘取薜荔我心不悦，下水采集荷花我心不快。
这样做本不合我的习惯，然而心中犹豫上下徘徊。
我要完全依照从前打算，这种态度一直不会改变。
即使命该受难我也不管，要抓紧太阳未落的时间。
我形影孤单地向南走去，彭咸故迹使我更加思念。

惜往日①

【原文】

惜往日之曾信兮，受命诏以昭时②。
奉先功③以照下兮，明法度之嫌疑④。

国富强而法立兮，属贞臣而日娭⑤。
秘密⑥事之载心兮，虽过失犹弗治。
心纯庬⑦而不泄兮，遭谗人而嫉之。

君含怒而待臣兮，不清澈[8]其然否。

蔽晦君之聪明兮，虚惑[9]误又以欺。
弗参验[10]以考实兮，远迁臣而弗思。
信谗谀之溷浊兮，盛气志而过[11]之。

何贞臣之无罪兮，被离谤而见尤[12]！
惭光景之诚信[13]兮，身幽隐而备[14]之。

临沅湘之玄渊[15]兮，遂自忍而沉流。
卒没身而绝名兮，惜壅君[16]之不昭。

君无度而弗察兮，使芳草为薮幽[17]。
焉舒情而抽信[18]兮，恬死亡而不聊[19]。
独鄣壅而蔽隐[20]兮，使贞臣为无由[21]。

闻百里[22]之为虏兮，伊尹[23]烹於庖厨。
吕望[24]屠於朝歌兮，宁戚[25]歌而饭牛。
不逢汤武与桓缪[26]兮，世孰云而知之！

吴信谗而弗味[27]兮，子胥[28]死而后忧。
介子[29]忠而立枯兮，文君寤[30]而追求；
封介山而为之禁[31]兮，报大德之优游[32]。
思久故之亲身兮，因缟素[33]而哭之。

或忠信而死节兮，或訑谩[34]而不疑。
弗省察而按实[35]兮，听谗人之虚辞。
芳与泽[36]其杂糅兮，孰申旦[37]而别之？

何芳草之早殀[38]兮，微霜降而下戒。
谅聪不明而蔽壅兮，使谗谀而日得。

自前世之嫉贤兮，谓蕙若[39]其不可佩。
妒佳冶[40]之芬芳兮，嫫母姣而自好[41]。
虽有西施[42]之美容兮，谗妒入以自代。

原陈情以白行[43]兮，得罪过之不意。
情冤见[44]之日明兮，如列宿之错置[45]。

乘骐骥而驰骋兮，无辔衔而自载。
乘氾泭[46]以下流兮，无舟楫而自备。
背法度而心治兮，辟与此其无异。

宁溘死而流亡[47]兮，恐祸殃之有再。
不毕辞而赴渊兮，惜壅君之不识。

【注释】

①《惜往日》大概是屈原自投汨罗江前的绝命之辞。此时，他已经下定决心投江自尽，以身殉国。

②命诏：诏令。昭时：使时世清明。

③先功:祖业。
④嫌疑:指对法令有怀疑的地方。
⑤贞臣:忠贞之臣,屈原自指。娭(xī):游戏。玩乐。
⑥秘密:即“黾勉”,努力。
⑦纯庬(chún máng):淳厚。
⑧清澈:指弄清事实真相。
⑨虚惑:把无说成有叫虚,把假说成真叫惑。
⑩参验:参较验证。
⑪盛气志:大怒。过:督责。
⑫离谤:遭毁谤。尤:责备。
⑬惭:悲忧。光景:即光明。诚信:真实。
⑭备:具备。
⑮玄渊:深渊。
⑯壅君:被蒙蔽的国君。
⑰薮幽:大泽的深幽处。
⑱抽信:陈述一片忠诚。
⑲恬:安。不聊:不苟生。
⑳郭壅:与“蔽隐”同义。郭壅而蔽隐:重重障碍。
㉑无由:无路自达。
㉒百里:百里奚,春秋时虞国大夫。后被晋国俘虏,晋献公把他当作陪嫁女儿的奴隶送给秦国。后来逃至楚国,秦穆公闻其贤,用五张羊皮赎回,授之国政,号曰五羖大夫,后助秦穆公成霸业。
㉓伊尹:原来是有莘氏的陪嫁奴隶,曾经当过厨师。后来任商汤的相,辅助汤攻灭夏桀。
㉔吕望:本姓姜,即姜尚,他的先代封邑在吕,所以又姓吕。传说他本

来在朝歌当屠夫，老年钓于渭水之滨，周文王认出他是个贤人，便重用了他。后来辅佐周武王灭了商。

㉕宁戚：春秋时卫国人，他在喂牛时唱歌，齐桓公认出他是个贤人，用他做辅佐。

㉖汤：商汤。武：周武王。桓：齐桓公。缪：通“穆”，秦穆公。

㉗吴：指吴王夫差。信谗：指听信太宰伯嚭的谗言。弗味：不能玩味辨别。

㉘子胥：伍子胥，吴国的大将。吴王夫差打败越王勾践之后，曾两次兴兵伐齐，伍子胥认为越是吴的心腹之患，应该灭越，不要伐齐。夫差不听，反而听信太宰伯嚭的谗言，逼他自杀。不久吴国就被越国灭亡。

㉙介子：介子推。春秋时晋文公的臣子。晋文公未做晋国国君时，被父妾骊姬谗毁，流亡在外十九年，介子推等从行。文公回国即位后，大家争功求赏，介子推不屑与争，独奉母逃隐到绵山中。后来文公想起他的功劳，派人去找他不着，于是令人烧山，希望他能够出来。介子推坚决不下山，结果抱树被烧死。

㉚文君：晋文公。寤：觉悟。

㉛禁：封山。

㉜大德：指介子推在跟从晋文公流亡的途中，缺乏粮食，他割了自己的股肉给文公吃。优游：形容大德宽广的样子。

㉝缟素：白色的丧服。
㉞訑：通“诞”。訑(tuó)谩：欺诈。
㉟按实：核实。
㊱泽：臭。
㊲申旦：自夜达旦。
㊳殀：通“夭”，死亡。
㊴蕙若：蕙草和杜若，都是香草。
㊵佳冶：美丽。
㊶嫫母：传说是黄帝的妃子，貌极丑。自好：自以为美好。这句是说：嫫母作出娇媚的样子，自以为十分美好。
㊷西施：春秋时越国著名的美女。
㊸白行：表白行为。
㊹见：现。
㊺错置：安排、陈列。错：通“措”。
㊻氾：通“泛”，浮起。泭：通“桴”，即筏子。
㊼溘(kè)死：忽然死去。流亡：流而亡去，指投水而死。

【译文】

痛惜往日我曾受到信任，禀受王命想使时世清明。
遵奉先王功业照耀后世，修明法度明确是非嫌疑。
那时国家富强法律严明，国事托忠臣君王可游憩。
国家秘密事我谨记心头，虽有过失君王也不追究。
我心地淳厚不泄露机密，谁知竟遭谗人满怀嫉妒。
君王听信谗言含怒待我，并不澄清其中是非曲直。
谗人蒙蔽了君王的耳目，虚言蛊惑误导欺骗君王。

君王也不检验考察事实，竟然远迁忠臣毫不思量。
他偏信混浊的谗言阿谀，盛气发怒强加给我罪状。
为何忠贞之臣没有罪过，反被离间诽谤受罪遭殃？
惭愧于光和影诚信不离，我隐身躲避到幽暗地方。
我面对沅水湘水的深渊，就要忍心跳进水流自沉。
最终身死名灭又怕什么，只可惜君王你永受蒙骗。
君王无标准不明察美丑，竟使芳草埋没湖泽深处。
到何处倾诉真情和忠诚，我恬然去死不苟且偷生。
只是君王会被佞臣蒙蔽，使忠臣受压抑报国无门。
听说百里奚曾当过奴隶，伊尹曾埋没厨房里烹调。
姜太公在朝歌做过屠户，宁戚在喂牛时唱着歌谣。
不遇商汤周武齐桓秦穆，世上谁知他们才能高超？
吴王夫差信谗不辨忠奸，逼死伍子胥有亡国之忧。
介子推忠贞却站着烧死，晋文公醒悟后追悔莫及。
封赐介山禁止人们砍柴，报答介子推的大德深恩。
思念故友往日患难与共，因而身着白衣痛哭失声。
有的人忠信却守节而死，有的人欺诈却不受怀疑。
君王不能明察实事求是，只听信谗人的虚伪言辞。
芳洁和污垢混杂在一块，谁能天天准确辨别清晰？
为何芳草过早夭折凋谢？只因微霜突降没有戒备。
君王耳目不明深受蒙蔽，才使谗谀小人日益得势。
自古就有嫉贤妒能的人，竟说香蕙杜若不可佩戴。
嫉妒美人姿容佳丽芬芳，丑妇嫫母扭捏故作媚态。
虽有西施般的无比美貌，谗妒小人也会阴谋取代。
我愿陈诉衷情表白行为，落得罪过完全出乎意外。

真情和冤屈已日益明晰，犹如天上星星错落明摆。
想乘骏马驰骋四方，没有缰绳仅靠双手。
想乘竹筏顺流而下，没有船桨划具自筹。
违背法度听凭心治，与此相比同样荒谬。
我宁愿突然死去随流水，唯恐再次遭受不测祸殃。
不把话说完就投赴深渊，痛惜昏君难识我的衷肠！

橘　颂[①]

【原文】

后皇嘉[②]树，橘徕服[③]兮。
受命不迁，生南国兮。

深固难徙，更壹志兮。
绿叶素荣，纷其可喜兮。

曾枝剡棘[④]，圆果抟兮[⑤]。
青黄杂糅[⑥]，文章烂[⑦]兮。

精色内白[⑧]，类任[⑨]道兮。
纷缊宜脩[⑩]，姱[⑪]而不丑兮。

嗟尔幼志，有以异兮。
独立不迁，岂不可喜兮。

深固难徙，廓[12]其无求兮。
苏世[13]独立，横而不流[14]兮。

闭心自慎，不终失过兮。
秉[15]德无私，参天地[16]兮。

原岁并谢[17]，与长友[18]兮。
淑离不淫[19]，梗其有理[20]兮。

年岁虽少，可师长兮。
行比伯夷[21]，置以为像[22]兮。

【注释】

①本篇从内容和风格上看，应该是屈原早年的作品。屈原通过对橘树的高贵品质的赞颂，表达了诗人热爱祖国故土、追求高尚志趣、不随波逐流、渴望建功立业的思想感情。这首诗把咏物和抒情紧密结合，对后来的咏物诗产生了深远的影响。

②后皇：皇天后土。嘉：美，或释为生育。

③徕：通“来”。服：服习南国水土。

④剡(yǎn)棘：尖刺。橘枝有刺。

⑤圆果：指橘子。抟(tuán)：通“团”，指橘子长得圆美。

⑥青黄杂糅：橘子皮色有青有黄，相互错杂。

⑦文章：文采，此指橘子色彩。烂：灿烂。

⑧精色：橘子外表颜色鲜明。内白：橘子内瓤洁白。

⑨任：担当重任。

⑩纷缊:通"氛氲",香气盛貌。宜修:美好。

⑪姱(kuā):美好。

⑫廓:空廓,此指胸怀开阔。

⑬苏世:在世上保持清醒,或曰疏远俗世。

⑭横:横立世上,或释为栏木,以喻自我约束。不流:不随从流俗。

⑮秉:执,持。

⑯参:合。参天地:上合天地无私之德。

⑰岁:岁暮。并谢:百花一齐凋谢。

⑱与长友:长与橘为朋友。橘树四季常青,不因岁寒而凋。

⑲淑:美,善。离:通"丽",附丽。淫:放荡。

⑳梗:直。理:纹理。此以橘之干直而有纹理,喻人之坚守直道、符合正理。

㉑比:比美。伯夷:商末孤竹君之子,周灭商,伯夷与弟叔齐义不食周粟,饿死于首阳山中,是后世称颂的有节之士。

㉒置:植,立。像:榜样。

【译文】

天地间嘉美的橘树,适应于这里的水土。

禀受天命不可迁植,只肯生长南方国度。

根深蒂固难以转徙,志向专一坚定不移。

翠绿树叶洁白花蕾，蓊郁繁茂令人欣喜。
密密枝丫尖尖刺儿，圆圆果实挂满枝间。
青果黄果色彩杂糅，好一幅绚烂的画卷！
皮色晶莹内质洁白，犹如君子担任道义。
挺拔茂盛修饰得体，美丽形象无与伦比。
赞叹你年少的志向，有与众不同的地方。
性格刚强独立不迁，岂不让人惊喜欢畅。
根深蒂固难以迁徙，胸怀旷达没有贪求。
头脑清醒独立于世，湍水横渡决不逐流。
节欲自省虚心谨慎，始终也不犯过得咎。
秉公无私美德昭昭，可同天地一样不朽。
我愿与你同生共死，相与长做知音挚友。
淑丽端庄终不淫逸，脾性耿直知情达理。
年龄虽少老成持重，可作兄长可为师表。
品行高洁好比伯夷，树立楷模千古光照！

悲回风

【原文】

悲回风之摇蕙①兮，心冤结②而内伤。
物有微而陨③性兮，声有隐而先倡④。

夫何彭咸之造思⑤兮，暨志介而不忘⑥！
万变其情岂可盖兮，孰虚伪之可长！

鸟兽鸣以号群[7]兮，草苴比[8]而不芳。
鱼葺[9]鳞以自别兮，蛟龙隐其文章[10]。
故荼荠[11]不同亩兮，兰茝幽而独芳。

惟佳人之永都[12]兮，更统世而自贶[13]。
眇远志[14]之所及兮，怜浮云之相羊[15]。
介眇志之所惑[16]兮，窃[17]赋诗之所明。

惟佳人之独怀[18]兮，折若椒以自处[19]。
曾歔欷之嗟嗟[20]兮，独隐伏而思虑。

涕泣交而凄[21]凄兮，思不眠以至曙[22]。
终长夜之曼曼[23]兮，掩此哀而不去[24]。

寤从容以周流[25]兮，聊逍遥以自恃[26]。
伤太息之愍[27]怜兮，气於邑[28]而不可止。

纠思心以为纕[29]兮，编愁苦以为膺[30]。
折若木[31]以蔽光兮，随飘风之所仍[32]。

存髣髴[33]而不见兮，心踊跃其若汤[34]。
抚珮衽以案[35]志兮，超惘惘[36]而遂行。

岁曶曶其若颓[37]兮，旹亦冉冉[38]而将至。
薠蘅槁而节离[39]兮，芳以歇而不比[40]。

怜思心之不可惩[41]兮，证此言之不可聊[42]。
宁溘死[43]而流亡兮，不忍此心之常愁。

孤子唫而抆[44]泪兮，放子[45]出而不还。
孰能思而不隐[46]兮，照彭咸之所闻[47]。

登石峦[48]以远望兮，路眇眇[49]之默默。
入景[50]响之无应兮，闻省[51]想而不可得。

愁郁郁之无快[52]兮，居[53]戚戚而不可解。
心鞿羁而不形[54]兮，气缭转而自缔[55]。

穆[56]眇眇之无垠兮，莽芒芒之无仪[57]。
声有隐而相感[58]兮，物有纯而不可为[59]。

藐蔓蔓之不可量[60]兮，缥绵绵之不可纡[61]。
愁悄悄[62]之常悲兮，翩冥冥[63]之不可娱。
凌大波而流风[64]兮，托[65]彭咸之所居。

上高岩之峭岸[66]兮，处雌蜺之标颠[67]。
据青冥而摅[68]虹兮，遂倏忽[69]而扪天。

吸湛露之浮源[70]兮，漱凝霜之雰[71]雰。
依风穴[72]以自息兮，忽倾寤以婵媛[73]。

冯昆仑以瞰[74]雾兮，隐岷山以清江[75]。
惮涌湍之礚[76]礚兮，听波声之汹汹[77]。

纷容容之无经[78]兮，罔芒芒之无纪[79]。
轧洋洋[80]之无从兮，驰委移[81]之焉止。

漂[82]翻翻其上下兮，翼遥遥[83]其左右。
氾潏潏[84]其前後兮，伴张弛之信期[85]。

观炎气之相仍[86]兮，窥烟液之所积[87]。
悲霜雪之俱下兮，听潮水之相击。

借光景以往来兮，施黄棘之枉[88]策。
求介子之所存[89]兮，见伯夷之放迹[90]。
心调度而弗去[91]兮，刻著志之无适[92]。

曰[93]：

吾怨往昔之所冀[94]兮，悼来者之悐[95]悐。

浮江淮而入海兮，从子胥而自适[96]。

望大河之洲渚兮，悲申徒之抗迹[97]。

骤[98]谏君而不听兮，重任石[99]之何益！

心絓结[100]而不解兮，思蹇产而不释[101]。

【注释】

①回风：旋转之风。摇：撼动。蕙：香草。

②冤结：郁结。

③微：隐行。陨：落。

④隐：隐微。先：当为“失”字之误。倡：即“唱”。

⑤造思：犹设想。

⑥暨：与。介：系。不忘：指不忘志向。

⑦号群：号呼同类。

⑧苴：已死之草。比：合在一起。

⑨葺：重叠累积。

⑩文章：色彩，花纹。

⑪荼：苦菜。荠：甜菜。

⑫佳人：屈原自称。都：美盛。

⑬更：历。统世：继世。贶(kuàng)：赐。自贶：犹言自求多福。

⑭眇：通“渺”，遥远。眇远志：高远的志向。

⑮相羊：通“徜徉”，漂流不定的样子。

⑯介：耿介持守。感：一本作“感”。

⑰窃：私下。

⑱佳人：屈原自称。独怀：胸怀与众不同。

⑲若：杜若，一种香草。椒：申椒，香料植物。自处：自我安排，自我料理。

⑳曾：屡次。歔欷(xū xī)：叹气，抽噎。嗟嗟：叹息声。

㉑凄：凄伤。

㉒曙：天将明。

㉓曼曼：长。

㉔掩：留止，停留。不去：不能去怀。

㉕寤：觉醒。周流：周游。

㉖侍：借为“持”。自侍：自我支持。

㉗太息：叹息。愍(mǐn)：哀怜。

㉘於邑：即“郁悒”。

㉙纠(jiū)：“纠”的假借字。纕(xiāng)：佩带。

㉚编：结。膺：本义是胸，引申为护胸的背心。

㉛若木：古代神话中的树名。

㉜仍：因，循。

㉝存髣髴：指事物看不清楚。髣髴：通作“仿佛”。

㉞踊跃：跳动。汤：沸水。

㉟珮：玉佩。衽：衣襟。案：抑。

㊱超：举。惘惘：失意惶遽的样子。

㊲曶曶：通“忽忽”，指时光匆匆而过。颓：水下流。

㊳旹：即“时”，此指老年。冉冉：渐渐。

㊴薠(fán)蘅：白薠、杜蘅，两种香草。槁：枯。节离：草枯则节节断落。

㊵以：已。歇：消失。比：比并，指香花并开。

㊶怜：爱怜。惩：止。

㊷聊:赖。
㊸溘死:忽然死去。
㊹孤子:屈原自称。唫:古“吟”字。抆(wěn):拭。
㊺放子:被国君放逐的人,屈原自称。
㊻隐:痛。
㊼照:一说“昭”,清楚。所闻:指听说的彭咸故事。
㊽峦:小而尖的山。
㊾眇眇:通“渺渺”,远的样子。
㊿景:通“影”。
51省:察看。
52无快:不快乐。
53居:疑为“思”字。
54鞿(jī)羁:马缰,此处指受拘束。形:一说“开”。
55缭转:缭绕。自缔:自结。
56穆:静。
57芒芒:通“茫茫”。仪:容。
58隐:微。感:感应。
59不可为:不一定有所作为。
60藐:通“邈”,遥远。蔓蔓:通“漫漫”。不可量:无法估计。
61缥:高远。绵绵:连绵不绝。纡:萦绕。
62悄悄:忧愁的样子。
63翩:疾飞。冥冥:邈远。
64凌:乘。流风:顺风而流。
65托:托寄。
66峭岸:陡峭险峻的崖壁。

⑰雌蜺：虹的一种，即副虹。《尔雅·释天》邢昺疏："虹双出，色鲜盛者为雄，雄曰虹；暗者为雌，雌曰霓。"蜺：通"霓"。标颠：顶点。
⑱青冥：青天。摅(shū)：舒。
⑲倏(shū)忽：顷刻之间，忽然。
⑳湛露：浓重的露水。浮源：姜亮夫《屈原赋校注》谓当作"浮浮"，露浓重之状。
㉑漱：漱口。凝霜：浓霜。雰：即"氛"。
㉒风穴：古代传说中的洞穴名，相传北方寒风自其中而出。
㉓忽倾寤：忽然全部了悟。婵媛：通"啴咺(xuǎn)"，忧伤。
㉔冯(píng)：凭靠。瞰：俯视。
㉕隐：依凭。清江：看清江流。
㉖惮：惧怕。涌湍：急流。磕：通"磕"。磕(kē)磕：水石撞击声。
㉗汹(xiōng)汹：波涛声。
㉘纷：乱。容容：通"溶溶"，水流动的样子。无经：没有常规。
㉙罔：通"惘"，怅惘。无纪：无纪纲。
㉚轧：指波涛互相倾轧。洋洋：水大的样子。
㉛委移：通"逶迤"，水流弯曲的样子。
㉜漂：通"飘"。
㉝遥遥：摇来摇去。遥：通"摇"。
㉞氾：通"泛"。潏(yù)潏：水涌出的样子。
㉟伴："判"的假借字，判别。张弛：涨落。信期：潮汐的汛期。
㊱炎：热。仍：跟从。
㊲烟：上升之气云。液：下降之液，即雨。积：结，聚。
㊳黄棘：棘刺。枉：曲。
㊴介子：介子推，春秋时晋文公的臣子。所存：此指介子推隐居之处。

⑩伯夷：商末孤竹君的长子。因反对周武王灭商，不食周粟，饿死在首阳山。放迹：放逐之处。

⑪调度：姜亮夫《屈原赋校注》云："此犹言惆怅也。"弗去：不能决。

⑫刻著志：意志坚决。适：往。

⑬曰：即"乱曰"。

⑭冀：希望。

⑮惕(tì)惕：形容忧虑、恐惧、不安的样子。

⑯子胥：伍子胥。传说伍子胥被迫自杀，吴王夫差将他的尸体投入江中。自适：顺应自己的心志。

⑰申徒：申徒狄，殷末贤臣。屡次进谏，纣王不听，抱石投河而死。抗：通"亢"。亢迹：高尚的事迹。

⑱骤：多次。

⑲重任石：当作"任重石"。

⑳絓(guà)结：打了结。

㉑蹇产：纠缠阻塞。释：消解。

【译文】

悲哀啊，旋风撕卷着蕙草，我心头郁结，我心忧伤。

柔弱的蕙草易被摧残啊，秋风无形却能产生巨大影响。

为什么我总是思慕着彭咸啊，还有他那高尚节操令人难忘？

千变万化岂能把真情掩盖啊，哪有虚情假意能够保持久长？

鸟兽鸣叫来呼唤同伴啊，鲜草靠近枯草堆就失去芬芳。

鱼儿鼓鳞炫示自己的与众不同啊，蛟龙潜入渊底把美丽的鳞甲隐藏。

所以苦菜与甜菜从不种在一地啊，兰芷生在幽僻的深山才独具芳香。

只有贤人才能永葆美好啊，怡然自得经历千秋万代。

我的志向是那么远大啊，可惜就像白云漂浮在天上。

我高远的志向不被理解啊，我只好赋诗一表我的衷肠。

思量起我孤独幽怨的情怀啊，只好折枝杜若和椒枝独自守在这里。

我一次又一次地长吁短叹啊，人虽隐伏荒野可心头的思虑难息。

我伤心的眼泪不断流消啊，彻夜不眠愁思如缕。

难挨的漫漫长夜终于熬过啊，可心头的悲哀依然长留不去。

我还是起身去四处游荡吧，姑且逍遥一番自解愁绪。

悲伤叹息可怜我的不幸啊，满怀的苦闷郁悒难解难舒。

把我满心的愁思结成一条佩带啊，把我满怀的愁苦编为一件内衣。

折一支若木枝遮蔽阳光啊，任随旋风把我飘来荡去。

眼前的一切模模糊糊看不清啊，我的心像沸水一样跳荡。

整一整衣裳稳一稳神啊，走吧，恍恍惚惚若有所失。

岁月匆匆很快地流逝啊，我的生命也渐渐走到尽头。

芳草枯萎枝叶飘零了，花朵凋谢香气尽收了。

可怜我的愁思永不止啊，我的这些表白也无济于事。

我宁愿死去或永远漂泊啊，也不忍我的心永远这般愁苦。

我孤儿般地呻吟着，擦着眼泪啊，我像被赶出家门的孤儿不得回去。
谁能想起这些而不心痛啊，我决心仿效先贤走彭咸的路。
我登上高山向远处眺望啊，漫漫长路死一般的寂静。
进入那无影无响的境界啊，连看一看、听一听、想一想都不可能。
只有无穷愁苦没有一丝欢乐啊，满心是解不开、驱不散的愁绪苦情。
我的心被束缚不得舒展啊，像被千万条绳索把它捆紧。
宇宙多么渺茫无边无际啊，莽苍苍空荡荡无象无形。
秋声虽小可使草木感应啊，蕙草虽本性纯真却难抵秋风。
世事茫茫不可预料啊，愁思不断缥缈绵长。
愁满心怀常使我悲苦啊，在黑暗中飞舞也难欢畅。
驾着波涛顺水漂流啊，投向彭咸居住的地方。
我登上高山峭壁啊，我坐在五彩的虹霓之上。
我占据青空吐气成虹啊，突一挥手抚摸青天。
我吸饮的甘露多么凉爽啊，又漱着洁白的霜花片片。
我依在风穴旁闭目休息啊，陡然间翻身醒来又愁思绵绵。
我背靠昆仑俯瞰云雾滚滚飞腾啊，我依凭岷山下视江水奔流直前。
急流击石令人惊心啊，涛声不绝震响耳畔。
乱纷纷江水横冲直撞啊，白茫茫江水汪洋一片。
波涛滚滚不知流向哪里啊，弯弯曲曲流到何处才算完。
浪涛翻滚忽上忽下啊，又或左或右翻腾在两边。
江水波起浪涌忽前忽后啊，就像潮汐的涨落定时不变。
看炎夏的水蒸气一阵阵升腾啊，看水汽上升凝聚成为雨滴。
悲叹啊，霜雪都飘落大地，潮水撞击的声音又传到耳边。
我凭借着日光月影上下往来啊，我用弯曲的黄棘神木充做马鞭。
我寻求介子推隐居过的居处啊，我发现了伯夷隐居的遗址首阳山。

心里思忖我不再离开他们啊，抱定决心不再去别处的打算。

尾声：

我怨恨以往识时务的追求啊，我痛惜后来无辜蒙受的惊惧。

我愿随着江淮漂流入海啊，追随伍子胥以了却自己的心愿。

我望见大河中的沙洲啊，悲哀地想起申徒狄的高行骨气。

一次次规谏君王而不被听信啊，抱石自沉又将有何益？

我心中的牵挂无法解除啊，愁思百结难消释。

远　游

【内容提要】

《远游》一篇，东汉王逸《楚辞章句》以为“屈原之所作也”，题解云：“屈原履方直之行，不容于世。上为谗佞所谮毁，下为俗人所困极，章皇山泽，无所告诉。乃深惟元一，修执恬漠。思欲济世，则意中愤然，文采铺发，遂叙妙思，托配仙人，与俱游戏，周历天地，无所不到。然犹怀念楚国，思慕旧故，忠信之笃，仁义之厚也。是以君子珍重其志，而玮其辞焉。”其后历代学者对本篇作者为屈原均无异议，直到近代，始有人表示怀疑。今文经学家廖平首先发难，其《楚辞讲义》云：“《远游篇》之与《大人赋》，如出一手，大同小异。”现代学者，陆侃如早年所著《屈原》、游国恩早年所著《楚辞概论》，都认为《远游》非屈原所作(游氏晚年观点有所改变)，郭沫若《屈原赋今译》、刘永济《屈赋通笺》也持同样的观点。而姜亮夫《屈原赋校注》、陈子展《楚辞直解》等则坚决认为《远游》为屈原所作。归纳起来，说《远游》非屈原所作，大致有三点理由：第一是结构、词句与西汉司马相如的《大人赋》有很多相同；第二是其中充满神仙真人思想；第三是词句多袭自《离骚》、《九章》。但姜亮夫《屈原赋校注》、陈子展《楚辞直解》都认为《远游》的结构、语句与《大人赋》多有相同之处，只能说明《大人赋》抄袭《远游》；描写神仙真人与屈原所处的楚文化氛围吻合，而神仙真人思想也仅是本篇的外壳而不是主旨所在；一人先后之作，中有因袭，自古而然，不足为奇。他们的观点，应该说是可以成立的。《远游》为屈原所作，似乎应该成为定论，正如姜亮夫所说，“从整个屈子作品综合论之，《远游》一篇正是不能缺少的篇章”，“《远游》是垂老将死的《离骚》”。

诗人与当时楚国政坛的矛盾极深，而对那个嫉贤忌能、迫害忠良的朝廷，他唯一的办法是离去。对于一个热爱国家的大臣来说，离开郢都去周游四方，并不是愉快的。所以，欲离不离，欲去还留的心态，使他的情绪寄托诗歌，他的诗歌呈现一种徘徊犹疑、反复凄迷的美。不过，《远游》一诗所描写的远游，并不是诗人的现实行为，而更多的是想象活动。因为是想象活动，诗人就把远游定位在天上，在神道怪异之间，在云光霞影里。众多的天上神祇，成了诗人的游伴。古人认为，天上是真纯高雅的，所以，远游的梦想，也是神奇脱俗的。不过，最后诗人还是不得不回到人间，回到苦难黑暗的世俗社会。对世俗社会卑污的谴责，对高雅纯真世界的追求，也在远游的虚构中表露出来了。

【原文】

悲时俗之迫阨[①]兮，愿轻举而远游。
质菲薄而无因兮，焉托乘[②]而上浮？
遭沉浊而汙秽兮，独郁结其谁语！
夜耿耿而不寐兮，魂茕茕[③]而至曙。

惟天地之无穷兮，哀人生之长勤，

往者余弗及兮，来者吾不闻，
步徙倚而遥思兮，怊惝怳而乖怀[4]。
意荒忽而流荡兮，心愁悽而增悲。
神倏忽[5]而不反兮，形枯槁而独留。
内惟省以端操[6]兮，求正气之所由。
漠虚静以恬愉兮，澹无为而自得。

闻赤松[7]之清尘兮，愿承风乎遗则。
贵真人之休德[8]兮，美往世之登仙，
与化去[9]而不见兮，名声著而日延。
奇傅说[10]之托辰星兮，羡韩众[11]之得一。
形穆穆而浸[12]远兮，离人群而遁逸。
因气变而遂曾[13]举兮，忽神奔而鬼怪。
时仿佛以遥见兮，精皎皎以往来。
绝氛埃而淑尤[14]兮，终不反其故都。
免众患而不惧兮，世莫知其所如[15]。

恐天时之代序兮，耀灵晔[16]而西征。
微霜降而下沦兮，悼芳草之先零。
聊仿佯[17]而逍遥兮，永历年而无成。
谁可与玩斯遗芳兮？晨向风而舒情。
高阳[18]邈以远兮，余将焉所程[19]？

重曰：
春秋忽其不淹[20]兮，奚久留此故居。

轩辕[21]不可攀援兮，吾将从王乔[22]而娱戏。
餐六气而饮沆瀣[23]兮，漱正阳[24]而含朝霞。
保神明之清澄兮，精气入而粗秽除。
顺凯风[25]以从游兮，至南巢而壹息。
见王子而宿之兮，审壹气之和德。

曰：
“道可受兮，不可传。
其小无内[26]兮，其大无垠。
无滑[27]而魂兮，彼将自然。
壹气孔[28]神兮，于中夜存。
虚以待之兮，无为之先。
庶类以成兮[29]，此德之门。”

闻至贵而遂徂兮，忽乎吾将行。
仍羽人于丹丘[30]兮，留不死之旧乡。
朝濯发于汤谷[31]兮，夕晞余身兮九阳[32]。
吸飞泉之微液兮，怀琬琰之华英。
玉色頩以脕颜[33]兮，精醇粹而始壮。
质销铄以汋约[34]兮，神要眇以淫放[35]。
嘉南州之炎德兮，丽桂树之冬荣；
山萧条而无兽兮，野寂漠其无人。
载营魄而登霞兮，掩浮云而上征。
命天阍[36]其开关兮，排阊阖[37]而望予。
召丰隆[38]使先导兮，问大微[39]之所居。

集重阳入帝宫兮，造旬始而观清都[40]。

朝发轫于太仪[41]兮，夕始临乎微闾[42]。
屯余车之万乘兮，纷溶与而并驰。
驾八龙之婉婉兮，载云旗之逶蛇。
建雄虹之采旄兮，五色杂而炫耀。
服偃蹇[43]以低昂兮，骖连蜷[44]以骄骜。
骑胶葛[45]以杂乱兮，斑漫衍[46]而方行。
撰余辔而正策兮，吾将过乎句芒[47]。
历太皓[48]以右转兮，前飞廉[49]以启路。
阳杲杲其未光兮，凌天地以径度。
风伯为作先驱兮，氛埃辟而清凉。
凤凰翼其承旂[50]兮，遇蓐收乎西皇[51]。
揽慧星以为旍[52]兮，举斗柄以为麾。
叛陆离其上下兮，游惊雾之流波。

时暧曃其曭莽[53]兮，召玄武[54]而奔属。
后文昌使掌行兮，选署众神以并毂。
路曼曼其修远兮，徐弭节[55]而高厉。
左雨师使径侍兮，右雷公以为卫。
欲度世以忘归兮，意恣睢以担挢。
内欣欣而自美兮，聊媮[56]娱以自乐。
涉青云以泛滥游兮，忽临睨[57]夫旧乡。
仆夫怀余心悲兮，边马顾而不行。
思旧故以想象兮，长太息而掩涕。
氾容与而遐举兮，聊抑志而自弭[58]。
指炎神而直驰兮，吾将往乎南疑[59]。

览方外之荒忽兮，沛罔象[60]而自浮。
祝融戒而还衡[61]兮，腾告鸾鸟迎宓妃[62]。
张《咸池》奏《承云》兮[63]，二女御《九韶》[64]歌。
使湘灵鼓瑟兮，令海若舞冯夷[65]。
玄螭虫象[66]并出进兮，形蟉虬[67]而逶蛇。
雌蜺便娟以增挠[68]兮，鸾鸟轩翥[69]而翔飞。
音乐博衍[70]无终极兮，焉乃逝以徘徊。
舒并节以驰骛兮，逴绝垠乎寒门[71]。
轶迅风于清源[72]兮，从颛顼[73]乎增冰。
历玄冥[74]以邪径兮，乘间维以反顾。
召黔嬴[75]而见之兮，为余先乎平路。
经营四荒兮，周流八漠。
上至列缺[76]兮，降望大壑。

下峥嵘[77]而无地兮，上寥廓而无天。
视倏忽而无见兮，听惝恍而无闻。
超无为以至清兮，与泰初[78]而为邻。

【注释】

①迫阨：困阻、灾难。

②焉托乘：以什么作为寄托、乘载的工具。

③茕(qióng)茕：孤独之貌。

④怊惝恍(chāo chǎng huǎng)：惆怅失意。乖怀：心愿违背，心气不顺。

⑤倏忽：一会儿。

⑥端操：端正操守。

⑦赤松：赤松子，古之仙人，传说神农时为雨师。

⑧休德：美德。

⑨化去：指仙去。

⑩傅说(yuè)：殷高宗武丁的宰相，传说他死后，精魂乘星上天。

⑪韩众：即韩终，春秋齐人，为王采药，王不肯服，于是他自己服下成仙。

⑫浸：渐。

⑬曾：通“层”。

⑭淑尤：王逸《楚辞章句》：“淑，善也；尤，过也；言行道修善过先祖也。”

⑮如：往。

⑯耀灵：太阳。晔(yè)：光耀。

⑰仿(páng)佯：通“彷徉”，即彷徨、徜徉。

⑱高阳：高阳氏之帝，即颛顼。

⑲程：效法。

⑳淹：滞留。

㉑轩辕：即黄帝，姓公孙，名轩辕。

㉒王乔：即王子乔，传说中得道成仙者，据说他是周灵王之子，故以王子为称，也叫王子晋。

㉓六气：据道家之说，世上有天地四时六种精气，修炼者服食之即能成仙。沆瀣(hàng xiè)：露水。

㉔正阳：六气中夏时之气。

㉕凯风：南风。

㉖内(nà)：通“纳”，容纳。

㉗滑：紊乱。

㉘孔：很。

㉙庶类：众类万物。

㉚羽人：羽化升天的仙人。丹丘：仙境之地。

㉛汤(yáng)谷：通“旸谷”，日出之处。

㉜九阳：古时传说，旸谷有扶桑树，上有一个太阳，下有九个太阳，十个太阳轮流值班一天。

㉝頩(pīng)：貌美。脕(wàn)颜：滋润颜面。

㉞汋约：通“绰约”，柔美。

㉟淫放：指洒脱不受拘束。

㊱天阍(hūn)：天官的看门人。

㊲阊阖：天门。

㊳丰隆：雷神，一说云神。

㊴大(tài)微：即“太微”，天帝的南宫。

㊵旬始：星宿名。清都：天官之名。

㊶发轫(rèn)：发车。太仪：天上的太仪殿。

㊷微闾：医巫闾山，古人认为神仙所居住的地方。

㊸服：中间两匹驾车的马。偃蹇：婉转之貌。
㊹连蜷(quán)：指马身马蹄弯曲之状。
㊺胶葛：纠葛，交错杂乱。
㊻斑：通“班”，队列。漫衍：绵绵不绝。
㊼句(gōu)芒：东方木神之名。
㊽太皓：通“太皞”，东方上帝之名。
㊾飞廉：风伯之名。
㊿旂(qí)：画龙系铜铃的旗。
51蓐(rù)收：金神之名，为西方上帝少昊之子。西皇：即少昊。
52旍(jīng)：旗帜。
53暧曃(ài dài)：昏暗不明。曭(tǎng)莽：幽暗迷濛。
54玄武：二十八宿中北方七宿的总称，为龟蛇合体之象。
55弭(mǐ)节：按节缓行。
56担挢(jiǎo)：飞升。媮：通“偷”。
57睨(nì)：斜视。
58自弭：自我宽解，自我安慰。
59南疑：南方的九嶷山。
60罔象：犹云汪洋。
61祝融：火神之名。衡：车辕头上的横木。还衡：回车。
62宓(fú)妃：伏羲氏之女，洛水女神。
63《咸池》、《承云》：黄帝所作的乐曲名。
64二女：舜帝的两位妃子娥皇、女英，她们是尧帝的女儿。《九韶》：舜帝命咸黑所作的乐曲。
65海若：海神。冯(píng)夷：河神河伯。
66虫象：水怪。

⑥⑦蟉(liú)虬：屈曲盘绕的样子。
⑥⑧便(pián)娟：轻盈美好貌。增挠：层绕。增：通“层”。挠：通“绕”。
⑥⑨轩翥：高飞。
⑦⓪博衍：舒展绵延。
⑦①逴(chuò)：远。绝垠：指天边。寒门：北极之山。
⑦②清源：传说中八风之府。
⑦③颛顼(zhuān xū)：北方上帝之名。
⑦④玄冥：北方水神。
⑦⑤黔赢：黔雷，造化之神。
⑦⑥列缺：闪电。
⑦⑦峥嵘：此谓深远之貌。
⑦⑧泰初：天地万物的元气。

【译文】

悲哀社会习气嫉贤妒能，我愿轻身高举远游求真。

本性鄙陋没有什么依靠，怎么能乘清气向上飞升？

我遭逢的时世污秽浑浊，独自愁思郁结向谁诉说！
夜里辗转反侧难以成眠，神魂凄凄切切直到天明。
只有天地才是无穷无尽，可怜人生只会劳碌终身。
过去了的我已不能追及，将要来的我也不能听见。
我徘徊不定而想得很远，惆怅失意理想难以实现。
我心情迷茫而四处游荡，心中愁惨痛苦无限悲伤。
魂魄很快飘忽离而不返，躯体形消骨立独自留下。
心中反复思索审察志向，探求正大之气来自何方。
淡漠平静内心安适愉悦，清心寡欲才能恬然自得。
我想听赤松先生的美言，愿意继承他的遗风法则。
我崇高赤松先生的美德，羡慕过去的人能够成仙。
他们蜕形而去人不能见，他们名声显著流传千载。
惊叹傅说死后化为辰星，我羡慕韩众能得道成仙。
他们形体渐渐远离尘世，他们逃避世俗隐去不见。
凭借精气变化高高升举，能像鬼神往来瞬息万变。
有时仿佛能够远远看见，神灵耀眼往来宇宙之间。
超越浊世居住名山洞府，始终不愿返回他的故都。
避免众人忧虑毫不惧怕，世人难测他们从哪到哪。
担心一年四季不断交换，灿烂的太阳在渐渐西下。
寒冷的严霜也开始降临，我悼惜香草会首先凋零。
我暂且徘徊而逍遥自在，我只虚度年华一事无成。
谁能和我共赏这些香草？我只好长久地迎风抒情。
古帝高阳离我们太远了，我又将如何去效法古人？
再进一步诉说：
春天与秋天匆匆交替，为什么长久地留此故地？

轩辕黄帝高远不可攀援，我将跟随王乔娱乐游戏。
饥餐是六气渴饮有清露，正阳气漱口朝霞含嘴里。
为了保持精神清明纯洁，精气多吸入污秽尽排弃。
乘着南风随它各处游历，游到了南巢我稍稍休息。
见到了王子乔我深深作揖，向他询问得道成仙秘密。
他说：
“道可心领神会不可言传，道是无限小的又无穷大。
精神不混乱得道任自然，得道最佳境存于中夜半。
虚静去等待不为天下先，得道之门径一切法自然。”
听到至理名言跟着前往，匆匆忙忙我即将要起航。
追随羽人飞仙丹丘圣地，永远留在长生不死之乡。
早晨在汤谷里洗濯头发，傍晚我让九阳晒干身体。
吸饮昆仑飞泉清凉泉水，美玉般的花朵作为食粮。
我的脸色如美玉光彩照人，精神纯粹完美开始强壮。
凡人形体销解轻丽柔美，神人精神旺盛高远奔放。
南州气候温暖令人赞美，美飘香的桂花冬天吐英。
群山萧条没有野兽出没，原野寂静不见人们踪影。
车载着魂魄我登上彩霞，云遮着身躯我登上天庭。
叫守门人赶快打开天门，他手推天门眼睛把我看。
召唤丰隆做游览的向导，叫他打听太微宫的所在。
来到九重天进入太微宫，造访旬始星到清都参观。
早晨从太仪天庭启程行，傍晚来到东北於微闾山。
集聚起上万辆随从车马，车辆并驾齐驱从容安闲。
驾车的八条龙蜿蜒前进，载着云旗飘飘长空绵延。
插上绘雄虹的彩色旌旗，旗帜五色缤纷闪亮耀眼。

服马高大矫健俯仰自如，骖马奔驰卷曲纵恣向前。
坐骑车驾交互杂错纷乱，车马列队并行漫无际边。
我手持鞀绳端正握马鞭，经过木神句芒继续向前。
再经过天帝太皓向右转，前有风神飞廉开路探看。
太阳初亮还未大放光明，越过天池继续径直向前。
风伯是我们车队的先锋，尘土被扫除天宇清且凉。
凤凰展双翼承接着旌旗，遇到了西方蓐收和西皇。
摘下彗星装饰我的旗旌，举起斗柄指挥车骑队形。
旗帜纷繁闪动忽上忽下，游如惊雾闪似流波泛星。
天色渐渐昏暗阴晦不明，我命玄武赶快紧紧跟上。
让文昌在后面带领随从，安排众神并驾齐驱前进。
道路漫漫前途远又长，我且停鞭缓行登高远望。
叫雨师在左边路旁侍候，让雷公在右边放哨站岗。
我想超脱尘世乐而忘返，我要放纵心意高飞向上。
内心欣欣自己修养自己，暂且欢娱求得心情舒畅。
飞越青云纵情周游四方，忽然低头看见自己故乡。
仆夫怀恋我也心中悲伤，边马停止前行回头张望。
思念故旧亲朋很想归去，长长叹息涕泪纵横沾裳。
终于又慢慢地高高飞起，暂且压抑自己思乡情肠。
朝着南方火神直奔而去，我将到那仙界九嶷山上。
看那世外景象荒远浩茫，我像船儿漂浮大海汪洋。
火神祝融劝我转车回返，传告鸾鸟迎宓妃洛水上。
宓妃演奏古曲成池承云，娥皇女英进献《九韶》之歌。
让湘灵女神鼓瑟奏新曲，令海神与河伯对舞蹁跹。
黑龙水怪一同进退起舞，形体盘曲蜿蜒姿态万千。

彩虹艳丽把我层层缠绕，鸾鸟高飞上下盘旋。
音乐舒缓平和不绝于耳，我无所适从且徘徊蹒跚。
放开缰绳任凭马儿飞奔，到达天边北极的寒门。
超越疾风来到寒风源头，跟从颛顼登上层层厚冰。
经过玄冥前面崎岖小路，登上六间两维回首频频。
召来天神黔嬴与他会见，让他为我在前把路铺平。
驾着车辆走过荒远四方，四方和上下都周游一遍。
向上直到闪电之处，向下把东方的归墟眺望。
下面深邃看不见大地，上面高远望不到青天。
眼睛忽闪却视而不见，耳朵模糊也听而无闻。
超然无为至清虚境界，与原始太初永远为邻。

卜 居

【内容提要】

本篇究竟为谁所作，学术界颇有争议。自王逸在《楚辞章句》明确地说“《卜居》者，屈原之所作也”之后，直到晚清，一般学者对此并无疑义。崔述《考古续说 · 观书余论》则对此说断然翻案：“《卜居》、《渔父》，必非屈原之所作。”五四运动以来的《楚辞》研究者，如郭沫若、游国恩、陆侃如等均张其说。古人认为《卜居》是屈原所作，因为该篇出于屈子之学。今人否认屈原所作，是因为该篇的表达形式不像屈原亲手写定。

本篇以“卜居”名篇，蒋骥在《山带阁注楚辞》中说：“居，谓所以自处之方。”自处之方，就是篇中所讲的“何去何从”。古人以占卜决疑，“卜居”是说通过占卜来解决自己该采取怎样的态度来对待现实社会。本篇一开始叙述屈原问卜时，说他“心烦虑乱，不知所从”，似乎屈原心态极端矛盾，不知选择哪条人生之路。可是，如果我们一口气读完那十六个排比疑问句，以及那义愤填膺地对黑暗现实的控诉，我们就会明白，诗人正是用问句的形式对比正反两方面的人生之路。作者的选择取舍，一目了然。他的问卜并非想求得一种答案，在全部疑问中，求得“何去何从”的意向并不强烈。相反，诗人用比喻和象征的说法区分强调善恶美丑的冰炭不容，表现对美善的坚执和对丑恶的弃绝。《卜居》中所流淌的屈原的情感，正是选择的痛苦和选择之后的痛苦。正如蒋骥所说：“《卜居》本意，盖以恶既不可为，而善又不蒙福，故向神而号之，犹阮籍途穷之泣也。”本篇采用主客问答的形式，开头和结尾的叙述，完全是散文的写法，中间用骈偶和散行句参错组成，用韵也较为自由，它是介于诗歌和散文之间的一种新体裁，是“不歌而诵”的汉赋的先导。

【原文】

屈原既放[①]，三年不得复见[②]。
竭知尽忠，而蔽障[③]于谗，
心烦虑乱，不知所从。
乃往见太卜[④]郑詹尹曰：
“余有所疑，愿因[⑤]先生决之。”

詹尹乃端策拂龟[⑥]曰：“君将何以教之？”

屈原曰：“吾宁悃悃款款[⑦]朴以忠乎？将送往劳来[⑧]斯无穷乎？
宁诛锄草茅以力耕乎？将游大人[⑨]以成名乎？

宁正言不讳以危身乎？将从俗富贵以媮生[10]乎？
宁超然高举以保真[11]乎？将哫訾栗斯、喔咿儒儿以事妇人[12]乎？
宁廉洁正直以自清乎？将突梯滑稽、如脂如韦以絜楹乎[13]？
宁昂昂[14]若千里之驹乎？将氾氾若水中之凫[15]，与波上下，偷以全吾躯乎？
宁与骐骥亢轭[16]乎？将随驽马[17]之迹乎？
宁与黄鹄[18]比翼飞？将与鸡鹜[19]争食乎？

此孰吉孰凶？何去何从？
世溷浊[20]而不清：蝉翼为重，千钧[21]为轻；
黄钟[22]毁弃，瓦釜[23]雷鸣；
谗人高张[24]，贤士无名！
吁嗟默默兮，谁知吾之廉贞？”

詹尹乃释策而谢[25]曰：
“夫尺有所短，寸有所长；
物有所不足，智有所不明；
数有所不逮[26]，神有所不通。
用君之心，行君之意，龟策诚不能知此事。”

【注释】

①放：放逐。

②复见：指再见到楚王。

③蔽障：遮蔽、阻挠。

④太卜：掌管卜筮的官。

⑤因：凭借。

⑥端策：数计蓍草；端，数也。拂龟：拂去龟壳上的灰尘。

⑦悃(kǔn)悃款款：诚实勤恳的样子。

⑧送往劳来：送往迎来。劳：慰劳。

⑨大人：指达官贵人。

⑩媮生：贪生。媮：通“偷”。

⑪超然：高超的样子。高举：远走高飞。保真：保全真实的本性。

⑫哫訾(zú zī)：通“趑趄”，想前进又不敢的样子。粟斯：与“哫訾”同义。喔咿：想说话又不敢的样子。儒儿(ní)：与“喔咿”同义。妇人：指楚怀王的宠姬郑袖。

⑬突梯：圆滑的样子。滑(gǔ)稽：一种能转注吐酒、终日不竭的酒器，后借以指应付无穷、善于迎合别人。如脂如韦：谓像油脂一样光滑，像熟牛皮一样柔软，善于应付环境。洁楹：度量屋柱，顺圆而转，形容处世的圆滑随俗。

⑭昂昂：昂首挺胸、堂堂正正的样子。

⑮氾(fàn)氾：漂浮不定的样子。凫(fú)：水鸟，即野鸭。此字下原有一“乎”字，据《楚辞补注》引一本删。

⑯亢轭(è)：并驾而行。亢：通“伉”，并也；轭，车辕前端的横木。

⑰驽(nú)马：劣马。

⑱黄鹄：天鹅。

⑲鹜：鸭子。

⑳溷(hùn)浊：肮脏、污浊。

㉑千钧：代表最重的东西，古制三十斤为一钧。

㉒黄钟：古乐中十二律之一，是最响最宏大的声调。这里指声调合于黄钟律的大钟。

㉓瓦釜：陶制的锅，这里指代鄙俗音乐。

㉔高张：指坏人气焰嚣张，趾高气扬。

㉕谢：辞谢，拒绝。

㉖数：卦数。逮：及。

【译文】

屈原啊他已经遭到放逐，三年了不能与楚王再见。

他为了君国用尽了心力，但他的进取却遭到谗言。

他心烦意乱不知怎么办，就去见管卜筮的郑詹尹。

屈原说："有些问题想不通，特来请教先生帮我决断。"

詹尹忙把卜筮工具备好，说道："不知您有什么见教？"

屈原十分激动地对他说："应该诚实勤恳朴质忠厚，还是周旋应酬媚世取巧？

应该努力耕作除草助苗，还是游说诸侯求取名爵？应该不惜性命大胆直言，还是贪图富贵可耻活着？

应该远走高飞保全性真，还是阿谀逢迎屈己从俗，奴颜婢膝般去取媚妇人？

应该廉洁正直清清白白，还是圆滑随俗没有骨气？像那油脂一般光滑如牛皮一样柔软？

应该昂首挺胸像千里驹，还是像水中鸟一样浮游不定，随波逐流，苟且保全身躯？

我应该与骏马并驾齐驱，还是追随那劣马的足迹？

我应该与天鹅长空比翼，还是去与鸡鸭争食斗气？

这到底哪样好哪样不好，我应该如何做又如何行？

这个世道真是浑浊不清：有人说千钧比蝉翼还轻；

青铜的编钟被销毁抛弃；瓦锅作为乐器响如雷鸣；

坏人得势好人埋没无名。啊！我不说了，再也不说了，谁了解我廉洁正直品行？”

詹尹放下蓍草起身道歉：“衡量事物尺寸的标准不一，万事万物都有不足之处；聪明的人也有不明之理，数理不是什么都能猜透。神灵有时也会变得糊涂。你想怎么做那就怎么做，龟壳蓍草实在于此无补。”

渔 父

【内容提要】

关于《渔父》的作者，历来说法不一。最早认定为屈原作的，是东汉王逸的《楚辞章句》。"《渔父》者，屈原之所作也。"近人一般都认为此文并非屈原所作。郭沫若说："《渔父》可能是深知屈原生活和思想的楚人的作品。"(《屈原赋今译》)按之作品的实际，这一推断还是比较可信的。

《渔父》中的人物有两个——屈原和渔父。全文采用对比的手法，主要通过问答体，表现了两种对立的人生态度和截然不同的思想性格。全文六个自然段，可以分为头、腹、尾三个部分。文章以屈原开头，以渔父结尾，中间四个自然段则是两人的对答。

这是一篇可读性很强的优美的散文。开头写屈原，结尾写渔父，都着墨不多而十分传神；中间采用对话体，多用比喻、反问，生动、形象而又富于哲理性。从文体的角度看，在楚辞中，此文、《卜居》以及宋玉的部分作品采用问答体，与后来的汉赋的写法已比较接近。前人说汉赋"受命于诗人，拓宇于楚辞"(刘勰《文心雕龙 · 诠赋》)，在文体演变史上,《渔父》无疑是有着不可忽视的重要地位的。

【原文】

屈原既放,游於江潭,行吟泽畔,
颜色憔悴,形容枯槁。

渔父见而问之曰:
"子非三闾大夫[①]与?何故至于斯!"
屈原曰:
"举世皆浊我独清,众人皆醉我独醒,是以见放!"

渔父曰:
"圣人不凝滞于物,而能与世推移。
世人皆浊,何不淈[②]其泥而扬其波?
众人皆醉,何不餔其糟而歠其酾[③]?
何故深思高举[④],自令放为?"

屈原曰:
"吾闻之,新沐者必弹冠,新浴者必振衣;
安能以身之察察[⑤],受物之汶汶[⑥]者乎!
宁赴湘流,葬於江鱼之腹中。
安能以皓皓之白,而蒙世俗之尘埃乎!"

渔父莞尔而笑,鼓枻[⑦]而去。
歌曰:

“沧浪[8]之水清兮，可以濯吾缨；
沧浪之水浊兮，可以濯吾足。”
遂去，不复与言。

【注释】

①三闾大夫：掌管楚国王族屈、景、昭三姓事务的官，屈原曾任此职。
②淈(gǔ)：搅混。
③餔(bū)：吃。歠(chuò)：饮。醨(lí)：薄酒。
④高举：高出世俗的行为。在文中与“深思”都是渔父对屈原的批评，有贬义，故译为(在行为上)自命清高。举，举动。
⑤察察：洁净。
⑥汶汶：玷辱。
⑦鼓枻(yì)：打桨。
⑧沧浪：水名，汉水的支流，在湖北境内。或谓沧浪为水清澈的样子。“沧浪之水清兮”四句：按这首《沧浪歌》也见于《孟子·离娄上》，二“吾”字皆作“我”字。

【译文】

屈原已遭到放逐，浪游在江潭岸边，吟咏在湖泽堤畔。
面容十分憔悴，身体枯瘦如柴。
渔父看见他，就问道：
“您不是三闾大夫吗？
为何落到这种地步？”
屈原说：
“世人都浊我独清，众人都醉我独醒，因此被放逐了。”

渔父说：

“圣人不拘泥于外物环境，而能够与世俗共同变化。

世人都混浊不清，你为何不搅泥沙扬波澜？

众人都醉生梦死，你为何不吃酒糟喝薄酒？

为何要忧国忧民举止清高，自己弄得被放逐？”

屈原说：

“我听说，刚洗了头定要弹弹帽子，刚洗完澡定要抖抖衣裳。

怎么能让洁净的身子，蒙受肮脏之物的玷污？

我宁可投赴湘江碧流，葬身在鱼腹之中，怎能让莹洁的身躯，去蒙受世俗的尘埃？”

渔父听后微微而笑，摇起船橹顺流而去。

唱道：“沧浪之水清啊，可以洗我的帽缨；

沧浪之水浊啊，可以洗我的双脚。”

于是径自离去，不再与屈原说话。

九　辩

宋　玉

【内容提要】

宋玉是屈原之后最重要的楚辞作家。在《史记·屈原列传》《汉书·艺文志》《汉书·古今人表》中，都说宋玉生于屈原之后，到王逸才第一个说宋玉是屈原的弟子，还说《九辩》是思师之作。宋玉的作品，现存十四篇，据《汉书·艺文志》说是十六篇(其中一些已残缺)，可见有些作品已亡佚。现存作品中，以《九辩》《高唐赋》《神女赋》《登徒子好色赋》《风赋》等最为著名。这些作品的共同特点是以情胜理，用形象思维的手法，把浪漫主义的情感抒发得淋漓尽致，在中国文学传统上，他的作品与屈原的作品一样，无疑具有开创性意义。作品中悲秋、神女、美人、风雨、山川、游历等主题，一直影响着后代的中国文学。

《九辩》之名，正如《九歌》一样，原是古代神话里的乐曲名，宋玉是借旧题来写新诗。王夫之在《楚辞通释》说："辩，犹遍也，一阕谓之一遍。盖亦效夏启《九辩》之名，绍古体为新裁，可以被之管弦。其词激宕淋漓，异于风雅，盖楚声也。"因此，"九辩"即"九阕"或"九遍"，是指由若干乐章组合而成的一种曲调。《九辩》共有二百五十五句，一千五百多字，在楚辞中是仅次于《离骚》的长篇抒情诗。

本书采用朱熹《楚辞集注》的分法，将全诗分为九章。第一章写秋天的萧瑟衰败景象，抒发自身孤凄贫困的不平之气。第二章写自己专思君王，而不能见到君王的失意悲伤之情。第三章写因悲秋，而自叹生不逢时的忧愁心情。第四章写忠心事君而遭奸臣挑拨，感叹自己处境恶劣，报国无门。第五章写世道昏暗而慨叹贤士难遇明君。第六章写昏君奸臣给国家带来厄运，面对打击，诗人发誓决不随波逐流。第七章写时光流逝，叹年老无成。第八章痛斥奸臣蒙蔽君王，表明了对世事的忧虑。第九章提出效法前圣选贤任能的政治主张，写自己不得志而神游太空的处世态度。

《九辩》的悲秋主题，使之成为中国文学史上第一篇情深意长的悲秋之作。把秋季万木黄落、山川萧瑟的自然现象，与诗人失意巡游、心绪飘浮的悲怆有机地结合起来，人的感情外射到自然界，作品凝结着一股排遣不去、反复缠绵的悲剧气息，勾起人们对自然变化、人事浮沉的感喟，千古之下，仍感动着无数读者。

《九辩》从思想内容到艺术手法，均带有仿效屈原作品的痕迹，但在艺术上仍有它的独创性。它因秋兴感的抒情方式、回旋错综的章法结构以及自由变化的语言形式，都给后代文学以极大的影响。特别是第一次将秋景萧瑟与失意悲伤之情有机地联系在一起，开创了悲秋的题材，成为中国古代文人常用的借景抒情形式：采用以秋风、秋物、秋声、秋色为衬托，制造一种萧瑟冷落的气氛，并在这一气氛中抒发幽怨悲哀的情绪。鲁迅先生认为："《九辩》虽驰神逞想不如《离骚》，而凄怨之情，实为独绝。"(《汉文学史纲要》)精要地阐明了这篇作品的地位和影响。

【原文】

一

悲哉，秋之为气也！
萧瑟兮，草木摇落[1]而变衰。
憭栗[2]兮，若在远行；登山临水兮，送将归。

泬寥[3]兮，天高而气清；寂漻兮，收潦[4]而水清。
憯悽增欷兮，薄寒之中[5]人，怆怳懭悢[6]兮，去故而就新。

坎廪[7]兮，贫士失职而志不平，廓落兮，羁旅而无友生[8]；
惆怅兮，而私自怜。
燕翩翩其辞归兮，蝉寂漠而无声；
雁廱廱[9]而南游兮，鹍鸡啁哳[10]非悲鸣。

独申旦而不寐兮，哀蟋蟀之宵征。
时亹亹[11]而过中兮，蹇淹留[12]而无成。

二

悲忧贫蹙兮独处廓，有美一人兮心不绎[13]。
去乡离家兮徕远客[14]，超逍遥兮今焉薄[15]？

专思君兮不可化，君不知兮可奈何！

蓄怨兮积思，心烦憺[16]兮忘食事。
愿一见兮道余意，君之心兮与余异。
车既驾兮朅[17]而归，不得见兮心伤悲。
倚结軨[18]兮长太息，涕潺湲兮下沾轼[19]。

忼慨[20]绝兮不得，中瞀乱[21]兮迷惑。
私自怜兮何极，心怦怦[22]兮谅直。

三

皇天平分四时兮，窃独悲此廪[23]秋。
白露既下百草兮，奄离披[24]此梧楸。

去白日之昭昭兮，袭长夜之悠悠。
离芳蔼[25]之方壮兮，余萎约[26]而悲愁。

秋既先戒以白露兮，冬又申之以严霜。
收恢台[27]之孟夏兮，然欿傺[28]而沉藏。

叶菸邑[29]而无色兮，枝烦挐[30]而交横；
颜淫溢而将罢[31]兮，柯彷佛而萎黄；

萷櫹槮[32]之可哀兮，形销铄[33]而瘀伤。

惟其纷糅[34]而将落兮，恨其失时而无当。

揽騑辔而下节[35]兮，聊逍遥以相佯[36]。
岁忽忽而遒[37]尽兮，恐余寿之弗将[38]。

悼余生之不时兮，逢此世之俇攘[39]。
澹容与[40]而独倚兮，蟋蟀鸣此西堂。

心怵惕[41]而震荡兮，何所忧之多方！
仰明月而太息兮，步列星而极明[42]。

四

窃悲夫蕙华之曾敷[43]兮，纷旖旎乎都房[44]；
何曾[45]华之无实兮，从风雨而飞扬？

以为君独服[46]此蕙兮，羌[47]无以异于众芳。
闵[48]奇思之不通兮，将去君而高翔。

心闵怜之惨凄兮，愿一见而有明[49]。
重无怨而生离兮，中结轸[50]而增伤。

岂不郁陶[51]而思君兮？君之门以九重。
猛犬狺狺[52]而迎吠兮，关梁[53]闭而不通。

皇天淫溢[54]而秋霖兮，后土[55]何时而得干！
块独守此无泽[56]兮，仰浮云而永叹。

五

何时俗之工巧兮，背绳墨而改错[57]！
却骐骥而不乘兮，策驽骀[58]而取路。
当世岂无骐骥兮？诚莫之能善御。
见执辔者非其人兮，故驹跳[59]而远去。

凫雁皆唼[60]夫梁藻兮，凤愈飘翔而高举。
圜凿而方枘[61]兮，吾固知其钼铻[62]而难入。
众鸟皆有所登栖兮，凤独遑遑而无所集。
愿衔枚[63]而无言兮，尝被君之渥洽[64]。
太公九十乃显荣兮，诚未遇其匹合[65]。
谓骐骥兮安归？谓凤凰兮安栖？
变古易俗兮世衰，今之相者兮举肥。

骐骥伏匿而不见兮，凤凰高飞而不下。
鸟兽犹知怀德兮，云何贤士之不处？
骥不骤进而求服[66]兮，凤亦不贪喂而妄食。

君弃远而不察兮，虽愿忠其焉得。
欲寂漠而绝端兮，窃不敢忘初之厚德。
独悲愁其伤人兮，冯[67]郁郁其何极！

六

霜露惨凄而交下兮，心尚幸其弗济[68]。
霰雪雰糅[69]其增加兮，乃知遭命之将至。

愿徼幸[70]而有待兮，泊[71]莽莽与野草同死。
愿自直而径往兮，路壅绝[72]而不通。

欲循道而平驱兮，又未知其所以。
然中路而迷惑兮，自压桉而学诵[73]。

性愚陋以褊浅[74]兮，信未达乎从容。
窃美申包胥[75]之气盛兮，恐时世之不固。
何时俗之工巧兮，灭规矩而改凿[76]。

独耿介而不随兮，愿慕先圣之遗教。
处浊世而显荣兮，非余心之所乐。

与其无义而有名兮，宁处穷而守高。
食不偷[77]而为饱兮，衣不苟而为温。

窃慕诗人之遗风兮，愿托志乎素餐[78]。
蹇充倔[79]而无端兮，泊莽莽而无垠。
无衣裘以御冬兮，恐溘[80]死不得见乎阳春。

七

靓杪秋[81]之遥夜兮，心缭悷[82]而有哀。
春秋逴逴[83]而日高兮，然惆怅而自悲。
四时递来而卒岁兮，阴阳不可与俪偕[84]。

白日晼晚[85]其将入兮，明月销铄而减毁。
岁忽忽而遒尽兮，老冉冉而愈弛[86]。

心摇悦而日幸兮，然怊怅而无冀[87]。
中憯恻之凄怆兮，长太息而增欷。
年洋洋以日往兮，老嵺廓[88]而无处。
事亹亹而觊[89]进兮，蹇淹留而踌躇。

八

何泛滥之浮云兮，猋[90]壅蔽此明月！
忠昭昭而愿见兮，然雾曀[91]而莫达。

愿皓日之显行兮，云濛濛而蔽之。
窃不自料而愿忠兮，或黕[92]点而污之。

尧舜之抗行[93]兮，瞭冥冥而薄天。
何险巇[94]之嫉妒兮，被以不慈之伪名？

彼日月之照明兮，尚黯黮[95]而有瑕；
何况一国之事兮，亦多端而胶加[96]。
被荷裯[97]之晏晏兮，然潢洋[98]而不可带。

既骄美而伐[99]武兮，负左右之耿介。
憎愠惀[100]之修美兮，好夫人之慷慨。
众踥蹀[101]而日进兮，美超远而逾迈[102]。
农夫辍耕而容与兮，恐田野之芜秽。
事绵绵而多私兮，窃悼后之危败。

世雷同而炫曜兮，何毁誉之昧昧！
今修饰而窥镜兮，后尚可以窜藏。
愿寄言夫流星兮，羌倏忽[103]而难当。
卒壅蔽此浮云兮，下暗淡而无光。

九

尧舜皆有所举任兮，故高枕而自适。
谅无怨于天下兮，心焉取此怵惕？

乘骐骥之浏浏[104]兮，驭安用夫强策。
谅城郭之不足恃兮，虽重介[105]之何益？

邅翼翼[106]而无终兮，忳惛惛而愁约[107]。
生天地之若过兮，功不成而无效。
愿沉滞而不见兮，尚欲布名乎天下。
然潢洋而不遇兮，直怐愗[108]而自苦。

莽洋洋而无极兮，忽翱翔之焉薄。
国有骥而不知乘兮，焉皇皇[109]而更索。
宁戚[110]讴于车下兮，桓公闻而知之。
无伯乐之善相兮，今谁使乎誉之。

罔流涕以聊虑[111]兮，惟著意而得之。
纷纯纯[112]之愿忠兮，妒被离[113]而鄣之。
愿赐不肖之躯而别离，放游志乎云中。
乘精气之抟抟[114]兮，骛诸神之湛湛[115]。

骖白霓之习习[116]兮，历群灵之丰丰[117]。
左朱雀之茇茇[118]兮，右苍龙之躣躣[119]。
属雷师之阗阗[120]兮，通飞廉之衙衙[121]。

前轻辌[122]之锵锵兮，后辎乘之从从[123]。
载云旗之委蛇[124]兮，扈屯骑之容容[125]。
计专专之不可化兮，愿遂推而为臧[126]。

赖皇天之厚德兮，还及君之无恙！

【注释】

①摇落：动摇脱落。

②憭栗(liáo lì)：凄凉。

③泬(xuè)寥：空旷寥廓。

④寂漻(liáo)：通“寂寥”。潦：积水。

⑤憯(cǎn)悽：通“惨悽”。欷：叹息。中：袭。

⑥怆怳(huǎng)：失意的样子。懭悢(kuàng lǎng)：失意的样子。

⑦坎廪(lǐn)：坎坷不平。廪：通“壈(lǎn)”。

⑧廓落：空虚寂寞的样子。羁旅：滞留外乡。友生：友人。

⑨雍雍：雁鸣声。

⑩鹍鸡：一种鸟，黄白色，似鹤。啁哳(zhāo zhā)：鸟鸣声繁细。

⑪亹(wěi)亹：行进不停的样子。

⑫蹇(jiǎn)：发语词。淹留：滞留。

⑬绎：“怿”的假借，愉快。

⑭徕远客：来作远客。

⑮薄：通“迫”，接近。

⑯烦憺(dàn)：烦闷，忧愁。

⑰朅(qiè)：去。

⑱结軨(líng)：车厢，用木条构成。

⑲潺湲(yuán)：流水声，此喻泪流不止。轼：车前横木。

⑳忼慨：通“慷慨”。

㉑瞀(mào)乱：心中烦乱。

㉒怦怦：忠诚的样子。

㉓廪：通“凛”，寒冷。

㉔奄：忽。离披：枝叶分散低垂，委靡不振的样子。

㉕芳蔼：芳菲繁荣。

㉖萎约：枯萎衰败。

㉗恢台：广大昌盛的样子。

㉘欿傺(kǎn chì)：王逸《楚辞章句》“楚人谓住曰傺也”。《文选》“欿傺”作“坎傺”，吕延济注“陷止也”，形容草木繁盛的景象停止。

㉙菸邑(yū yì)：黯淡的样子。

㉚烦挐(rú)：稀疏纷乱的样子。挐：通“拿”。

㉛淫溢：过甚。罢(pí)：通“疲”。

㉜萷(shāo)：通“梢”，枝条。櫹槮(xiāo shēn)：枝叶光秃秃的样子。

㉝销铄：指毁伤。

㉞纷糅：枯枝败草混杂。

㉟骓(fēi)：骖马，驾在车子两边的马。节：马鞭。

㊱相佯：犹言徜徉。

㊲遒：迫近。

㊳将：长。

㊴侹攘：纷扰不安。

㊵容与：迟缓不前的样子。

㊶怵(chù)惕：惊惧。

㊷极明：到天亮。

㊸敷：伸展，借指花朵开放。

㊹旖旎：此为花朵繁盛的样子。都房：北堂。

㊺曾：“层”的假借。

㊻服：佩戴。

㊼羌：发语词。
㊽闵：通“悯”。
㊾有明：朱熹《楚辞集注》：“有以自明也。”即自我表白。
㊿结轸(zhěn)：愁思郁结。
51郁陶：忧思深重。
52狺(yín)狺：狗叫声。
53梁：桥。
54淫溢：雨下个不止的样子。
55后土：大地。古人常以“后土”与“皇天”对称。
56块：块然，孤独的样子。无：通“芜”。泽：沼泽。
57绳墨：绳线和墨斗，是木工画直线的工具，借指规则法度。错：通“措”。
58驽骀(nú tāi)：劣马。
59骗(jú)跳：跳跃。
60唼(shà)：水鸟或鱼吃东西。
61圆凿而方枘(ruì)：圆的洞眼安方的榫子。
62钼铻(jǔ yǔ)：通“龃龉”，彼此不相合。
63衔枚：指闭口不言。古时行军为防止士兵出声，令他们口中衔一根叫做枚的短木条，故称。
64渥洽：深厚的恩泽。
65匹合：合适。
66服：驾车，拉车。
67冯(píng)：内心愤懑。
68幸：希望。济：成功。
69霰(xiàn)：雪珠。雰糅：纷杂。
70儌幸：通“侥幸”。

⑪泊：止。

⑫壅(yōng)绝：壅塞，堵塞。

⑬压桉(àn)：压抑。桉：通“案”，一说通“按”。学诵：学诵《诗经》。春秋战国士大夫社交往来常诵诗。

⑭褊(biǎn)浅：狭隘浅薄。

⑮申包胥：春秋时楚大夫，为救楚国，曾在秦国朝廷上哭了七天七夜，终于感动秦哀公出兵救楚。

⑯凿：通“错”，又通“措”，措施。

⑰偷：苟且。

⑱素餐：白吃饭。王夫之《楚辞通释》：“托志素餐，以素餐为耻。”

⑲充：充塞。倔：通“屈”，委屈。

⑳溘(kè)：突然。

㉑靓(jìng)：通“静”。杪(miǎo)秋：秋末。

㉒缭悷(liáo lì)：缠绕郁结。

㉓逴(chuō)逴：走得越来越远。

㉔俪偕：同在一起。

㉕畹(wǎn)晚：日落时光线黯淡的样子。

㉖弛：指精力不济。

⑰怊(chāo)怅：惆怅。冀：希望。
⑱嵺(liáo)廓：寥廓。
⑲觊(jì)：企图。
⑳猋(biāo)：快速。
㉑霒(yīn)：乌云蔽日。曀(yì)：阴风刮起。
㉒黕(dǎn)：污垢。
㉓抗行：高尚的德行。
㉔险巇(xī)：险阻，此指小人作梗。
㉕黯黮：昏黑暗淡。
㉖胶加：指纠缠不清。
㉗裯(dāo)：短衣。
㉘潢洋：此指衣服空荡荡不贴身。
㉙伐：夸耀。
⑩愠惀：忠诚的样子。
⑪踥蹀(qiè dié)：小步行进的样子。
⑫美：指贤人。迈：远行。
⑬倏忽：速度很快的样子。
⑭浏浏：水流清澈的样子，此指骏马奔驰畅快。
⑮介：铠甲。
⑯邅(zhān)：回旋不前。翼翼：小心谨慎的样子。
⑰忳(tún)：郁闷。惛(hūn)惛：心中昏昏沉沉。约：约束，束缚。
⑱怐愗(kòu mào)：愚昧。
⑲皇皇：通"惶惶"。
⑳宁戚：春秋时卫国人，初为小商人。遇齐桓公夜出，他在车下喂牛，敲着牛角唱了一首怀才不遇的歌，齐桓公听了，马上任用他。

⑪罔：通“惘”。聊虑：暂且思索一下。
⑫纯(zhūn)纯：借为“忳忳”，诚挚的样子。
⑬被(pí)离：杂沓的样子。
⑭抟(tuán)抟：团团。
⑮骛(wù)：奔驰。湛湛：众多。
⑯习习：快速飞行的样子。
⑰丰丰：指众天神的一个个神官。
⑱茇(pèi)茇：轻快飞翔的样子。
⑲躣(qú)躣：蜿蜒而行的样子。
⑳阗(tián)阗：鼓声。
㉑衙衙：向前行进的样子。
㉒辌(liáng)：一种轻型马车。
㉓辎：载重的重型马车。从从：跟随的样子。
㉔委蛇：通“逶迤”。
㉕扈：扈从，侍从。屯骑：聚集的车骑。容容：众多的样子。
㉖臧：善，美。

【译文】

一

悲凉啊悲凉，秋天气候多风吹！
萧瑟啊萧瑟，草木枯黄渐衰萎。
凄凉啊凄凉，好像远行未归回；
还在登山临水，送别归人将久违。
旷荡空阔，秋天高爽气候冷清；
寂静寥廓，秋江消退水流澄清。

秋心悲愁多叹息，秋风袭人寒气生。
惆怅悲愤，离开故乡去谋生。
艰难历程，贫士削职心不平。
孤零寂寞，作客他乡无知音。
失意感伤，暗自辛酸独哀怜。
燕子翩翩飞回南方，寒蝉寂寞静无声音。
大雁整齐向南飞，鹍鸡啾啾同作悲鸣。
独自失眠直到天明，悲伤蟋蟀彻夜哀鸣。
时光消逝过了半生，滞留异乡老大无成！

二

悲伤穷困空荡荡，有位美人心不畅。
离乡背井作远客，漂泊无依向何方？
一心念君决不变，君王不解我怎办？
天天相思积满怨，忧心烦躁常忘餐。
进见一面叙衷肠，君心和我不一样。
驾好车马去又回，不得见君心悲伤。
靠着车厢空叹息，眼泪横流车轼上。
愤慨决绝做不到，心中迷惑乱成糟。
独自哀怜何时了？一颗忠心怦怦跳。

三

天把一年分四季，独为寒秋悲凄凄。
白露已降寒百草，梧楸叶落疏残枝。
告别白天的明亮，继之黑夜漫绵绵。
芬芳年华已逝去，贫病悲愁入暮年。
天降寒露警秋风，再下严霜又到冬。

初夏盛景已尽收，万木枯黄百花空。
叶子枯萎无光泽，枝条交错乱无序。
容颜过盛将凋零，树干枯黄失生趣。
树梢光秃哀断肠，形体消损遍体伤。
想到草木纷纷落，怅恨失去好时光。
停住鞭子手持缰，暂且漫步解愁肠。
匆匆岁月又将尽，担心寿命难久长。
生不逢时我心伤，时世一片乱无常。
心境淡泊立门旁，且听蟋蟀鸣西堂。
内心恐惧常震荡，为何忧伤积胸膛。
仰天长叹望明月，星夜独步到天亮。

四

悲伤蕙花曾开放，缤纷茂美满花房。
为何开花不结果，风吹雨打遭飘荡？
原以蕙花君主赏，谁知一视同群芳。
痛惜奇策献不上，我将离君走远方。
心里悲悯又凄凉，希见君王明衷肠。
从来无怨却被逐，心中郁结增情伤。
难道念君情不深？只因君门有九重。
猛狗汪汪迎头叫，殿门紧闭桥不通。
老天秋降绵绵雨，大地何时才能干？
独守草泽荒芜处，仰望浮云哀声叹。

五

世俗为何善取巧，敢违规矩乱了套！
拒绝骏马不去骑，驱使劣马上大道。

难道好马当今无？实在没有好车夫。
看到车夫不内行，良马扬蹄难追逐。
野鸭大雁吃粱藻，凤凰高飞留不住。
圆孔碰到方木柄，本知难以安插入。
群鸟都有高窠栖，凤凰匆忙无住处。
我愿衔枚口不语，曾受君王的恩遇。
太公九十才显贵，贤臣难配真明主。
骏马归宿在哪里？凤凰何处把身栖？
古风变易世道衰，如今相马看肥姿。
骏马隐藏不愿见，凤凰高飞不落地。
鸟兽都知怀恩德，怎怪贤士远别离？
骏马不急求驾车，凤凰不会贪吃喝。
不辨善恶君弃我，虽愿效忠怎可得？
本想寂寞断思念，往日皇恩藕丝连。
独自悲愁伤人瘦，满腔愤懑到何年？

六

霜露交加惨凄清，还望白下不成功。

霰雪混杂下得紧，才知厄运将降临。
心存侥幸再等待，怕跟野草同归尽。
想见君王诉苦衷，道路阻塞走不通。
想沿大道驱车去，没人指引无所从。
走到半路心迷惑，克制自己学吟诵。
本性笨拙心狭隘，实生未能吟从容。
暗赞包胥气壮盛，只怕时世已不同。
时俗何等善取巧，毁弃规矩凿洞道。
我自耿直不随俗，愿遵圣贤的遗教。
处身浊世求荣耀，这绝不是我所好。
与其无义获虚名，宁可穷困守清高。
不能苟且为了饱，不能苟且为穿好。
追慕古风有遗教，愿吃白饭不求肴。
衣衫褴褛边没镶，草木荒野烟迷茫。
没有衣袄御冬寒，暴死怕难见春光。

七

深秋长夜多寂静，心中缠绕有哀伤。
年岁悠远日增高，独自惆怅又悲凉。
四季交替一年毕，寒暑不可同时往。
夕阳西斜入山冈，明月残缺淡无光。
一年匆匆将过完，衰老渐至不紧张。
心怀喜悦存侥幸，最终惆怅没希望。
心中惨痛常凄怆，叹息声声重又长。
岁月无穷江东流，年老空旷无处留。
世事在变希进取，久留此地不能走。

八

为何乌云浮满天，飘势迅猛明月掩？
忠心耿耿愿献君，雾障云蔽总难见。
希望太阳耀长空，可恨乌云来迷蒙。
不顾自身愿效忠，有人诽谤来围攻。
唐尧虞舜有德行，日月经天耀眼明。
群小嫉妒多奸险，诬蔑不慈之罪名。
太阳月亮光辉照，阴影瑕疵免不了。
国家事务更难说，更是头绪多缠绕。
荷叶衣衫艳茸茸，然而束带太宽松。
自夸美貌和武功，却把奸臣当精忠。
忠臣美德遭嫌弃，小人巧言讨欢喜。
谗人献媚得高升，修美君子日远离。
农夫停锄四处逛，田地将会更荒凉。
办事老想饱私囊，暗自悲伤国家亡。
世人附和去捧场，好坏不分太荒唐。
现今修饰照明镜，还可隐藏保性命。
本想进言托流星，眨眼飞去难遇上。
最终乌云浮满天，天下暗淡无光明。

九

唐尧虞舜举贤能，高枕无忧不操心。
自信天下没有怨，怎会发慌心里惊？
骑着骏马四处游，马鞭何必一定抽？
城郭坚固不足依，铠甲厚实用难久？
艰难前进没终极，穷困忧伤又失意。

人生天地一过客，功名没有难效力。
心愿隐居被埋没，还想流名天下播。
世事浩茫难遇合，简直愚昧苦自个儿。
大水茫茫没尽头，鸟儿高飞哪停留？
国有骏马不知乘，为何匆忙另寻求？
宁戚车下歌抒情，桓公听了授国卿。
伯乐慧眼今若无，虽有良马谁鉴评？
别再哭泣深思索，只有用心才得才。
多么诚挚愿效忠，小人嫉妒纷纷来。
不贤的我远离去，纵情神游升太空。
乘坐日月精气团，追随群神瑞气融。
驾着白虹飘飘飞，穿过繁星游苍穹。
左朱雀翩翩翱翔，右苍龙奔走匆忙。
雷师跟着把鼓擂，风神在前忙开道。
前有卧车铃锵锵，后有重车轰隆隆。
车上云旗如蛇动，两旁群马似飞龙。
心志专一不可变，但愿推广心向善。
上仰皇天开恩德，保佑楚王常平安。

招　魂

【内容提要】

在《楚辞》中,《招魂》是一篇独具特色的作品。它是模仿民间招魂的习俗写成的,其中却同样包含了作者的思想感情。

关于《招魂》的作者,历来存在着争论。东汉王逸《楚辞章句》称《招魂》的作者是宋玉,因哀怜屈原"魂魄放佚",因作以招其生魂。但西汉中,司马迁作《史记》,在《屈原贾生列传》中,将《招魂》与《离骚》《天问》《哀郢》并列,并说读了这些作品,而"悲其(指屈原)志",明显将《招魂》定为屈原作品。近世以来,研究者重视司马迁的提示,多主张《招魂》为屈原所作。但又分别有招楚怀王魂和屈原自招两种说法。主张屈原招怀王魂的,又有招生魂或死魂的两说。说法如此不一,所举证据也很纷繁。总而言之,我们(本书编者)赞成屈原招楚怀王死魂一说。理由如下:第一,篇中所写的奢侈享受,非楚王莫属。尤其像"九侯淑女,多迅众些",娶一国之女,其他诸侯送女作媵妾从嫁,这必是像楚王这样的身份,才能拥有的。第二,文献所载,上天所辅必是帝、王,而非臣民。"有人在下,我欲辅之"必是指楚王(陈子展说)。第三,乱曰之后写打猎,既提到"汩吾南征",又提到"与王趋梦"、"君王亲发",分明是作者回忆与楚王狩猎情形。最后并深情呼唤"魂兮归来,哀江南",这只可能是屈原来招楚怀王之魂。

《招魂》的形式主要来自民间。古人迷信,以为人有会离开躯体的灵魂,人生病或死亡,灵魂离开了,就要举行招魂仪式,呼唤灵魂归来。在许多民族残留的原始歌谣中,都有招魂歌谣。内容一般都是告诫灵魂不要到上下四方去,而应赶快回到家里来。为此目的,自然要讲讲上下四方的可怖,家中的安乐。后来规范为礼仪。如《礼记·礼运》所载"及其死也,升屋而号,告曰'皋(嗥)某复'",其仪式是由小臣举死者衣,登上屋顶,向上下四方呼号,召唤灵魂。招魂作为礼仪,已非原始信仰,而是"尽爱之道也,有祷祠之心焉"。古老的迷信演变为一种风俗。杜甫《彭衙行》云:"暖汤濯我足,剪纸招我魂。"远方来客,历经艰险,剪纸为其压惊、招魂。这倒是颇具人情味的风俗。民间一直流传有叫魂的迷信,曹禺《原野》中,曾借用来营造黑松林中的凄厉气氛,这也是古代招魂仪式的遗存。屈原写作《招魂》,就是模仿民间的创作,"外陈四方之恶,内崇楚国之美"(王逸《楚辞章句》),呼唤楚怀王的灵魂回到楚国来。

《招魂》的结构是:序引、招魂辞和乱辞,总共三个部分。招魂辞中又分为"外陈四方之恶"与"内崇楚国之美"两大部分。一般招魂辞是没有序引和乱辞的,而且招魂辞每句结束都有"些"字,据旧注读苏贺切,其音与今湘南民歌尾音"啰"相近,而序引、乱辞语气词都用"兮"字,与《离骚》、《九章》等篇相同。由此可见,托为巫阳的招魂辞,主要遵从招魂的习俗要求,而序引和乱辞则更显示出屈原的主体色彩。

【原文】

朕①幼清以廉洁兮,身服义而未沬②。
主③此盛德兮,牵于俗而芜秽④。
上⑤无所考此盛德兮,长离殃⑥而愁苦。

帝告巫阳[7]曰：
"有人[8]在下，我欲辅[9]之。
魂魄离散，汝筮予之[10]。"
巫阳对曰："掌梦[11]！上帝其难从。"
"若[12]必筮予之，恐后之谢[13]，不能复用。"

巫阳焉乃[14]下招曰："魂兮归来！
去君之恒干，何为四方些[15]？
舍君之乐处，而离[16]彼不祥些。

"魂兮归来！东方不可以托些。
长人千仞，惟魂是索些。
十日代出，流金铄石些。
彼皆习之，魂往必释些。
归来兮！不可以托些。

"魂兮归来！南方不可以止些。
雕题黑齿[17]，得人肉以祀，以其骨为醢[18]些。

蝮蛇蓁蓁[19]，封狐[20]千里些。
雄虺[21]九首，往来儵忽[22]，吞人以益[23]其心些。
归来兮！不可久淫[24]些。

“魂兮归来！
西方之害，流沙千里些。
旋入雷渊[25]，爢[26]散而不可止些。
幸而得脱，其外旷宇些。
赤蚁若象，玄蜂若壶[27]些。

五谷不生，藂菅[28]是食些。
其土烂人，求水无所得些。
彷徉无所倚，广大无所极些。
归来兮！恐自遗贼[29]些。

“魂兮归来！北方不可以止些。
增[30]冰峨峨，飞雪千里些。
归来兮！不可以久些。

“魂兮归来！君无上天些。
虎豹九关[31]，啄害下人些。
一夫九首，拔木九千些。
豺狼从[32]目，往来侁侁[33]些。
悬人以嬉，投之深渊些。
致命[34]于帝，然后得瞑些。

归来归来！往恐危身些。

“魂兮归来！君无下此幽都[35]些。
土伯九约[36]，其角觺觺[37]些。
敦脄[38]血拇，逐人伂駓駓[39]些。
参[40]目虎首，其身若牛些。
此皆甘人[41]。
归来归来！恐自遗灾些。

“魂兮归来！入修门[42]些。
工祝[43]招君，背行[44]先些。
秦篝齐缕[45]，郑绵络[46]些。
招具[47]该备，永[48]啸呼些。

“魂兮归来！反[49]故居些。
天地四方，多贼奸些。
像设[50]君室，静闲安些。
高堂邃宇，槛层轩[51]些。
层台累榭，临高山些。

网户朱缀[52]，刻方连[53]些。
冬有突[54]厦，夏室寒些。
川谷径复[55]，流潺湲些。
光风转蕙，氾崇[56]兰些。
经堂入奥[57]，朱尘筵[58]些。

砥室翠翘[59]，挂曲琼[60]些。
翡翠珠被，烂齐光[61]些。
蒻阿[62]拂壁，罗帱[63]张些。
纂组绮缟[64]，结琦璜[65]些。

“室中之观，多珍怪些。
兰膏[66]明烛，华容备些。
二八[67]侍宿，射递[68]代些。
九侯[69]淑女，多迅[70]众些。
盛鬋[71]不同制，实满宫些。
容态好比[72]，顺弥代[73]些。

弱颜固植[74]，謇[75]其有意些。
姱容修[76]态，絙[77]洞房些。
蛾眉曼睩[78]，目腾光些。
靡颜腻理[79]，遗视矊[80]些。
离榭修幕，侍君之闲些。

“翡帷翠帐，饰高堂些。
红壁沙版，玄玉梁些。
仰观刻桷[81]，画龙蛇些。
坐堂伏槛，临曲池些。
芙蓉始发，杂芰荷[82]些。

紫茎屏风[83]，文[84]缘波些。
文异豹饰[85]，侍陂陁[86]些。
轩辌既低[87]，步骑罗些。
兰薄[88]户树，琼木篱些。
魂兮归来！何远为些。

“室家遂宗[89]，食多方[90]些。
稻粢穱[91]麦，挐黄粱[92]些。
大苦咸酸，辛甘行[93]些。
肥牛之腱[94]，臑若[95]芳些。
和酸若苦，陈吴羹[96]些。
胹鳖炮[97]羔，有柘浆[98]些。
鹄酸臇[99]凫，煎鸿鸧[100]些。
露鸡臛蠵[101]，厉而不爽[102]些。
粔籹蜜饵[103]，有怅餭[104]些。

瑶浆蜜勺[105]，实羽觞[106]些。
挫糟冻饮，酎[107]清凉些。
华酌既陈，有琼浆些。
归反故室，敬而无防些。

“肴羞未通[108]，女乐罗些。
陈钟按鼓，造新歌些。
涉江采菱[109]，发扬荷[110]些。
美人既醉，朱颜酡[111]些。

娭光眇[112]视，目曾[113]波些。
被文服纤[114]，丽而不奇些。
长发曼鬋，艳陆离[115]些。
二八齐容[116]，起郑舞[117]些。
衽若交竿[118]，抚案下[119]些。

竽瑟狂会，搷[120]鸣鼓些。
宫廷震惊，发激楚[121]些。
吴歈蔡讴[122]，奏大吕[123]些。
士女杂坐，乱而不分些。
放陈组缨[124]，班[125]其相纷些。
郑卫妖玩[126]，来杂陈些。
激楚之结，独秀先[127]些。

“菎蔽象棋[128]，有六簙[129]些。
分曹[130]并进，遒相迫些。
成枭而牟[131]，呼五白[132]些。

晋制犀比[133]，费白日[134]些。

铿钟摇簴[135]，揳梓瑟[136]些。
娱酒不废，沈日夜些。
兰膏明烛，华灯错[137]些。
结撰至思[138]，兰芳假些。
人有所极[139]，同心赋些。
酎饮尽欢，乐先故[140]些。
魂兮归来！反故居些。”

乱[141]曰：
献[142]岁发春兮，汩[143]吾南征。
菉蘋[144]齐叶兮，白芷[145]生。
路贯庐江[146]兮，左长薄[147]。
倚沼畦瀛[148]兮，遥望博[149]。

青骊结驷[150]兮，齐千乘。
悬火[151]延起兮，玄颜烝[152]。
步及骤处[153]兮，诱[154]骋先。
抑骛若[155]通兮，引车右还。

与王趋梦[156]兮，课[157]后先。
君王亲发兮，惮青兕[158]。
朱明[159]承夜兮，时不可以淹[160]。
皋[161]兰被径兮，斯路渐[162]。

湛湛[163]江水兮，上有枫。
目极千里兮，伤春心。
魂兮归来！哀江南！

【注释】

①朕：我，屈原自指。
②沬(mèi)：昏暗不明。
③主：守、持有。
④芜秽：萎枯污烂。
⑤上：指楚王。
⑥离：遭遇。殃：祸患。
⑦帝：上帝。巫阳：古代神话中的巫师。
⑧人：指楚王。
⑨辅：帮助。特指上天辅助人间帝王。
⑩筮予之：通过卜筮知魂魄之所在，招还给予其人。
⑪掌梦：掌梦之官，实司其事。巫阳因其难招，故作托词。
⑫若：你，指巫阳。
⑬谢：凋落。“若必筮予之”三句作为上帝言语，首见项安世《项氏家说》，闻一多、陈子展从之。
⑭焉乃：于是。“巫阳焉”属此句，据王引之《经传释词》的说法。
⑮些：语尾助词，读音“唆(suò)”，疑同今民歌中“啰”音。
⑯离：通“罹”，遭。
⑰题：额头。雕题黑齿：额头上刻花纹，牙齿染成黑色。指南方未开化的野人。
⑱醢(hǎi)：肉酱。

⑲蓁(zhēn)蓁：树木丛生的样子，此指积聚在一起。
⑳封狐：大狐。
㉑虺(huǐ)：毒蛇。
㉒倏(shū)忽：忽然。
㉓益：补。
㉔淫：久留。
㉕雷渊：神话中的深渊。
㉖靡(mí)：通“靡”，粉碎。
㉗壶：通“瓠”，葫芦。
㉘藂(cóng)：聚集。菅(jiān)：一种野草，细叶绿花褐果。
㉙贼：残害。
㉚增(céng)：通“层”。
㉛九关：指九重天门。
㉜从(zòng)目：眼睛竖长。从，通“纵”。
㉝侁(shēn)侁：众多的样子。
㉞致命：上报。
㉟幽都：神话中地下鬼神统治的地方。
㊱土伯：地下王国的神灵。约：弯曲。一说，尾也。一说，肚下肉块。
㊲觺(yí)觺：尖利的样子。
㊳敦脄(méi)：很厚的背肉。疑为神怪名。
㊴駓(pī)駓：跑得很快的样子。
㊵参：通“三”。
㊶甘人：以食人为甘美。
㊷修门：郢都城南三门之一。
㊸工祝：工巧的巫人。

㊹背行:倒退着走。

㊺秦篝:秦国出产的竹笼,用以盛被招者的衣物。齐缕:齐国出产的丝线,用以装饰“篝”。

㊻郑绵络:郑国出产的丝棉织品,用做“篝”上遮盖。

㊼招具:招魂用品,擅上文“秦篝”、“齐缕”、“郑绵络”等。

㊽永:长。招魂者要长声呼唤被招者。

㊾反:通“返”。

㊿像设:假想陈设。

51槛:栏杆。轩:走廊。

52网户:刻镂网状空格的门户。朱缀:交缀处涂上红色。

53方连:方格图案,即指“网户”。

54突(yào):深密。

55径:直。复:曲,指川谷水流曲折。

56崇:通“丛”。

57奥:内室。

58尘筵:铺在地上的竹席。

59砥室:形容地面、墙壁都磨平光亮像磨刀石一样。翠翘:翠鸟尾上的毛羽。

60曲琼:玉钩。

61齐光:色彩辉映。

62蒻(ruò)阿:细软的缯帛。

63帱(chóu):壁帐。

64绮:带花纹丝织品。缟:白色丝织品。纂组绮缟:指四种颜色不同的丝带。纂:赤色丝带。组:杂色丝带。

65琦璜:美玉。

⑯兰膏：泛言有香气的油脂。
⑰二八：以八人为行，二八十六人。
⑱射(xī)：通“夕”，夜晚。递：更替。
⑲九侯：泛指列国诸侯。
⑳迅：通“洵”，真正。
㉑鬋：下垂的鬓发。盛鬋(jiǎn)：浓密的鬓发。
㉒比：并。
㉓顺：通“洵”，诚然。弥代：盖世。
㉔弱颜：容貌柔嫩。固植：身体健康。
㉕謇：发语词。
㉖姱(kuā)：美好。修：美。
㉗絙(gèng)：绵延。
㉘曼：长。睩(lù)：眼珠转动。
㉙靡：细致。腻：光滑。理：肌肤。
㉚矊(mián)：目光深长。
㉛桷(jué)：方的椽子。
㉜芰(jì)荷：菱叶和荷叶。

⑧③屏风：荇菜，又名水葵，一种水生植物。
⑧④文：通“纹”，指波纹。
⑧⑤文异：文彩奇异。豹饰：以豹皮为饰，指侍卫武士的装束。
⑧⑥陂陁(bēi tuó)：高低不平的山坡。
⑧⑦轩：有篷的轻车。辌(liáng)：可以卧息的车。低：通“抵”，到达。
⑧⑧薄：草木丛生。
⑧⑨宗：聚。
⑨⓪多方：多种多样。
⑨①粢(zī)：小米。穱(zhuō)：早熟麦。
⑨②挐(rú)：掺杂。黄粱：黄小米。
⑨③辛：辣。行：用。
⑨④腱(jiàn)：蹄筋。
⑨⑤胹(ér)：炖烂。若：与“而”意同。
⑨⑥吴羹：吴地浓汤。
⑨⑦胹(ér)：煮。炮：烤。
⑨⑧柘(zhè)浆：甘蔗汁。
⑨⑨鹄酸：据闻一多校，当作“酸鹄”。鹄：天鹅。臇(juǎn)：少汁的羹。
⑩⓪鸿鸧(cāng)：鸿，大雁；鸧，即鸧鸹，一种似鹤的水鸟。
⑩①露：借为“卤”。一说借为“烙”。臛(huò)：肉羹。蠵(xī)：大龟。
⑩②厉：浓烈。爽：败、伤。
⑩③粔籹(jù nǚ)：用蜜和面粉制成的环状饼。饵：糕。
⑩④粻餭(zhāng huáng)：即麦芽糖，也叫饴糖。
⑩⑤勺：通“酌”。
⑩⑥羽觞：古代一种酒器。
⑩⑦酎(zhòu)：醇酒。

⑱通：通“彻”，撤去。
⑲涉江、采菱：楚国歌曲名。
⑳扬荷：多作《阳阿》，楚国歌曲名。
⑪酡(tuó)：喝酒脸红。
⑫娭(xī)光：形容撩人的目光。娭：嬉戏。眇：通“妙”。
⑬曾：通“层”。
⑭被(pī)：披。文：文绣。纤：细软。
⑮陆离：形容色彩斑斓。
⑯二八：指两队女乐。齐容：装束一样。
⑰郑舞：郑国的舞蹈，比较放纵。
⑱衽：衣襟。交竿：衣襟相交如竿。
⑲抚：通“拊”，拍击。案：通“按”。下：似指弯腰下屈的舞蹈动作。
⑳搷(tián)：猛击。
㉑激楚：楚国的歌舞曲名，或谓指激烈的楚歌之声。
㉒吴歈(yú)：吴地之歌。蔡讴：蔡地之歌。
㉓大吕：乐调名。
㉔组：系佩饰的丝带。缨：帽带。
㉕班：通“斑”。
㉖妖玩：指妖娆的女子。
㉗秀先：优秀出众。
㉘菎(kūn)蔽：饰玉的筹玛，赌博用具。象棋：象牙棋子。
㉙六簙(bó)：一种棋戏，可用以赌博。
㉚分曹：相对的两方。
㉛枭：博戏术语。成枭棋则可取得棋局上的鱼，得二筹。牟：取。
㉜五白：古时博戏的采名。

⑬³犀比：犀角制的带钩，用做赌胜负的彩注，一说用犀角制成的赌具。
⑬⁴白日：指一天时光。
⑬⁵铿：象声词。簴(jù)：钟架。
⑬⁶揳(jiá)：抚。梓瑟：梓木所制之瑟。
⑬⁷错：错落安置。
⑬⁸结撰：构思。至思：尽心思考。
⑬⁹极：极至，此当指极度快乐。
⑭⁰先故：先祖与故旧。
⑭¹乱：乱辞，尾声。
⑭²献：进。
⑭³汩(yù)：形容匆匆而行。
⑭⁴菉：通“绿”。蘋：一种水草。
⑭⁵白芷：一种香草。
⑭⁶贯：通。庐江：洪兴祖《楚辞补注》云：“庐江出陵阳东南，北入江。”谭其骧以为当指今襄阳、宜城界之潼水。春秋时，地为庐戎之国，因有此称。
⑭⁷长薄：杂草丛生的林子。
⑭⁸倚：沿。畦：水田。瀛：大水。
⑭⁹博：旷野之地。
⑮⁰青骊(lí)：青黑色的马。驷：驾一乘车的四匹马。
⑮¹悬火：焚林驱兽的火把。
⑮²玄颜：黑里透红，指天色。烝：上升。
⑮³步：步行的随从。骤处：乘车的随从停下。骤，驰；处，止。
⑮⁴诱：导，打猎时的向导。
⑮⁵抑：勒马不前。骛(wù)：奔驰。若：顺，指进退自如。

⑮梦：指云梦泽。这一带是楚国的大猎场，地跨大江南北。
⑯课：比试。
⑱惮青兕：怕射中青兕。兕，犀牛一类的野兽。楚人传说猎得青兕者，三月必死。
⑲朱明：指太阳。
⑳淹：留。
㉑皋：水边高地。
㉒渐(jiān)：遮没。
㉓湛湛：水深的样子。

【译文】

我从年轻时就清白廉洁，亲身实行仁义毫不含糊。
我一直保持着这些美德，但受世俗牵累身受秽污。
上天无法考察这些美德，我长期受难啊忧愁痛苦。
上帝唤来巫阳并对他讲："现在有一个人他在下方，
我正想要辅助他保佑他。他的魂魄已经身离散亡，
你快占个卦给他帮帮忙。"
巫阳很为难地回答上帝：
"上帝啊，我的职务是掌梦，你的指示实在难于服从。
如果定要占卦给他招魂，恐怕时期过了身躯已坏，给他的灵魂也不再有用。"
于是巫阳降临人间召唤：
"魂魄啊！快回到你的身上！
你离开了你常在的身体，为何要流散到四面八方？
你抛弃了你安乐的处所，就会遇到不吉利的情况。

魂魄啊！快回到你的身上！东方不是可安身的地方。

那里的巨人啊身长千丈，专门搜寻人的灵魂品尝。

那里十个太阳轮流出来，晒得石头销毁金属流淌。

那种炎热巨人已经习惯，如果你去了一定要遭殃。

回来吧！那不是安身的地方。

魂魄啊！快回到你的身体。南方啊也不可以去安居。

额头刺花黑牙齿的野人，他们祭神要用人肉来祭，还要把人骨也剁成烂泥。

那里蝮蛇很多盘绕聚集，大狐狸也遍布千里之地。

还有那九个头的大毒蛇，它们穿梭似的窜来窜去，以吞吃活人来满足心意。

回来吧！南方不可以久居。

魂魄啊！还是快快回来吧！

西方对你的危害会更大，那里是一望无际的流沙。

风沙飞卷把你埋进雷渊，就要粉身碎骨难以收拾。

即使能够有幸逃出雷渊，外面茫茫荒野十分可怕。

那里的红蚁有象那么大，黑蜂也长得像只葫芦撤。

在那里五谷不能够生长，一丛丛野茅草便是食粮。
西方的土使人皮肉腐烂，要找一滴水也非常困难。
在那流荡徘徊无处安居，四周辽阔广大无边无际。
回来吧！别招灾难害自己。
魂魄啊！快回到你的身体！北方也不是那停留之地。
一层层的坚冰如山堆积，一团团的大雪纷飞千里。
回来吧！北方不可以久居。
魂魄啊！快快回到你的身体！你千万不能够跑上天去。
虎豹守着上面九重天门，它们咬得人们有来无去。
那里有个怪人九个脑袋，一天能把九千大树拔起。
成群的豺狼把眼睛瞪着，它们恶狠狠地跑来跑去。
九头怪物把人吊起游戏，然后把人丢进深水潭里。
掉进深渊只有报告上帝，死了才能够把双眼紧闭。
回来吧！怕去了危害自己。
魂魄啊！快回到你的故都，千万不能到阴曹地府。
地下魔王身体弯弯曲曲，双角尖锐锋利难以接触。
满爪的鲜血鼓起的背肉，它们飞快来往把人追逐。
长着虎的脑袋三只眼睛，它们身体像牛又壮又粗，
这些土伯吃人才能满足。
回来吧！不要去受灾受辱。
魂魄啊！快回到你的身体你快走进这高高的门里。
请你的是有本领的巫师，他一步步倒退着引导你。
秦国竹笼系着齐国丝绳，上面还盖着郑国的笼衣。
招魂的器具都已经备齐，大家都拉长声调呼唤你。
魂魄啊！请你快快回来吧！从四方上下返回你故居。

天上地下东南西北四方，凶恶害人的东西非常多。
依照你生前布置的居室，就比在外面要宁静安乐。
高大的房屋深深的庭院，一层层厅堂有栏杆围着。
那重重叠叠的楼台亭榭，面临着高山一座又一座。
朱红的大门上镂着花格，上面又雕刻着方格网络。
冬天这里有温暖的大厦，夏天凉爽的屋子很适合。
园中的小溪流纵横曲折，溪水清澈透明潺潺流着。
阳光下微风吹拂着蕙草，一丛丛兰花散发出幽香。
穿过层层厅堂走进内房，朱红色的竹席装饰顶棚。
房间四壁磨得光洁明亮，翠色羽毛掸子挂玉钩上。
绵被色如翡翠缀饰珍珠，那一粒粒珍珠闪闪发光。
墙壁上蒙着轻软的丝绸，大床上挂着美丽的罗帐。
五彩的丝绸带各种各样，串结块块美玉挂满帐旁。
室中所见之物真说不完，多么珍贵奇异非同一般。
灯烛明亮散发兰草芳香，侍宿的美女们前来陪伴。
十六位姑娘已分为两班，她们侍候过夜轮流替换。
各国来的公主美丽娇艳，这么多的美女非同一般。
她们梳着各式各样发型，已充满了你的深宫后院。
容貌姿态一个胜似一个，个个盖世无双妙不可言。
柔嫩的脸儿健壮的体魄，一个个都心儿好意儿甜。
漂亮的脸蛋苗条的身体，往来不绝在你卧房里边。
她们眉似蚕蛾又细又弯，眼睛轻柔一瞥光芒闪现。
她们颜色如玉肌肤如脂，常常脉脉凝视情意绵绵。
在高官别墅和大营帐里，你闲暇时美人侍候身边。
那些绣着翡翠的大帷帐，装饰着高大宽敞的厅堂。

四面墙壁涂抹朱红颜色，珍贵的墨玉装饰着屋梁。
仰面看雕花的方形椽子，上面刻画着龙蛇的形象。
坐在厅堂凭栏眺望远方，纡曲的池塘里碧波荡漾。
粉红的荷花朵朵刚开放，菱叶和荷叶映衬在中央。
鲜嫩的水葵白茎紫叶，随着水波纹轻轻摇荡。
卫士们饰豹皮文彩奇异，侍卫在高低不平的山上。
舒适的篷车已来到，步骑随从罗列在你身旁。
门前种植着丛生的兰花，用琼木夹制成篱笆围墙。
灵魂啊，归来吧！为何离家出走去远方？
一家宗亲聚集在一堂，会餐食品有多种多样。
大米小米和早熟麦子，掺和黄米味道分外香。
有苦的有咸的还有酸的，甜的和辣的调料都用上。
肥牛腱子肉散发着香味，炖得烂熟吃起来分外香。
调和好酸的苦的味道美，摆上了著名的吴国羹汤。
清炖甲鱼火炮羹羊手艺纯正，涂抹上蔗糖浆又甜又香。
酸溜天鹅肉浓汤炖野鸭，煎炸鸿雁肉人人争先尝。
酱汁卤嫩鸡清汤焖海龟，味道虽浓烈不会把胃伤。
各样点心蜜制的糕饼，油炸馓子钏环的形状。
玉色的美酒添加蜂蜜，鸟形酒杯斟得满当当。
逼开酒糟挤出酒来冰冻，冷饮时味道又醇又清凉。
豪华的筵席已经摆放好，杯杯美酒恰如玉液琼浆。
归来吧，返回你的故居！人们尊敬你对你无损伤。
佳肴美味还没有上完，歌舞美女已列队表演。
架起编钟啊敲响大鼓，演唱新歌字正腔又圆。
唱完《涉江》再唱《采菱》曲，《扬荷》新曲调歌声婉转。

筵席上美人喝醉了酒，粉白的脸上都把红晕添。
她们目光撩人含情脉脉，两眼秋波暗送意绵绵。
她们身穿绣花的绸缎衣，华丽高贵却不奇形怪诞。
长长的头发柔美的鬓角，个个打扮成娇艳的模样。
十六位美女是一样服饰，分两行跳郑舞舞姿蹁跹。
舞女回旋衣袖飘举交错，抚案退下体态轻盈舒缓。
吹竽弹瑟急管繁弦合奏，猛击响鼓鼓声震荡心弦。
高唱楚歌震惊宫廷内外，一曲激楚传遍楚国河山。
吴国的民谣蔡国的歌曲，那些都用大吕调来唱。
男士与女士错杂坐一起，嬉戏乱纷纷礼节丢一边。
解衣带摘帽子随处陈放，变座位乱次序只要喜欢。
郑卫美女个个妖艳艳，侍坐陪酒娇媚惊四筵。
激莓尾声曲终情激昂，独具特色实为天下先。
玩具有饰玉筹码象牙棋，对局玩六簿双方各争先。
二人对弈各自运子进攻，奋力进逼相互你追我赶。
下成枭棋赶快入水牵鱼，五白五白双方高声呼喊。
要度闲暇还有晋国犀比，要消磨时间可玩上一天。
撞击大钟震得钟架摇晃，弹奏梓木琴瑟人人喜欢。
饮酒娱乐从早晨到夜晚，日日夜夜在欢乐里沉湎。
兰草脂膏芳香灯烛明亮，灯架华丽错镂雕琢辉煌。
酒后吟诗作赋竭尽心思，诗赋词藻华丽美如兰芳。
人们欢乐情绪达到极点，共同吟诵诗赋诵声朗朗。
痛饮醇酒人们尽情欢娱，让先辈们享受快乐安康。
灵魂啊，请你快快回来吧！快归返你那久别的故乡！”
尾声：进入新年春气发动，我被流放匆匆向南急行。

水中的蘋草长齐了叶子，岸边上白芷也抽芽萌生。
南行道路一直通往庐江，左岸丛林连绵郁郁葱葱。
沿着块块沼泽艰难跋涉，那辽阔的荒野一望无垠。
忆昔猎车驾着四匹黑马，后跟着千辆车齐齐整整。
举火把烧荒林火势蔓延，漆黑夜被照亮一片通红。
步行的紧跟随奔驰车马，向导引路在前跃马驰骋。
或停止或奔跑指挥通顺，指挥向右转继续向前行。
跟随君王云梦大泽打猎，谁先谁后全由君王评定。
君王亲自弯弓射猎，围猎把青色的犀牛射完。
红色的太阳承继黑夜，时光如流水一刻不停。
水边高地兰草覆盖小路，这条小路又淹没在水中。
江水清清日夜静静流淌，江岸枫林时时摇曳清风。
缅怀故国纵日遥望千里，春意盎然却惹起伤春情。
灵魂啊，快回到你的身体吧！哀怜江南让楚国新生。

大　招

【内容提要】

王逸说："《大招》者，屈原之所作也。或曰景差，疑不能明也。"汉代既已不能明，则后世更是聚讼纷纷。以"大招"名篇是相对于《招魂》而言，《招魂》是屈原招怀王之魂所作，《大招》是招怀王之父威王之魂所作，故按君王之辈分，名曰"大招"。

本篇开始按招魂词的固定格式陈述四方险恶，呼唤魂不要向东、向南、向西、向北，然后即写楚国宫廷的美味佳肴，音乐舞蹈美女之盛，宫室之富丽堂皇，苑囿禽鸟之珍异，最后夸饰楚国之地域辽阔、人民富庶、政治清明。其中对楚国遵法守道、举贤授能、步武三王一段的描写，实际上是屈原理想化了的美政。因此，《大招》已不是单一的招魂祝辞，而是于其中蕴含了一定的思想。作品通过极言东南西北四方环境的险恶，极力铺陈楚国饮食、乐舞、宫室的丰富多彩、壮伟华丽，来召唤楚威王的亡魂，表达了对楚君的无限忠心和眷恋之情。

本篇结构采用开门见山的手法，直接点题，一气而下，环环相扣。由“青春受谢”而时光飞逝，春色盎然而万物竞相展现自己的生命力，点出招魂的具体时节。而“魂乎归来，无东无西，无南无北”的呼唤，入题自然，干净利索。在对四方险恶环境的夸张描述之后，以“魂魄归徕，闲以静只。自恣荆楚，安以定只”转入到对楚国故地的环境描写，阐联顺当，一点也不显得突兀。以“闲以静只”、“安以定只”、“逞志究欲，心意安只”、“年寿延只”作为主题，给下文的大肆铺叙作纲领。在对楚国饮食、乐舞、美人、宫室等的铺排和炫耀中，以“定空桑只”、“安以舒只”、“静以安只”、“恣所便只”等与它们相呼应，前后照应，相互关联。下一层紧承“居室定只”，由室内而扩展到室外的“接径千里”，由此联想到“出若云只”的楚国人民，以此为出发点，很自然地引出作者对治理国家、造福人民的清明政治的向往，使文章在结构上浑然一体。

【原文】

青春受谢①，白日昭只。
春气奋发，万物遽②只。
冥凌浃③行，魂无逃只。
魂魄归来！无远遥只。

魂乎归来！
无东无西，无南无北只。
东有大海，溺水浟浟④只。
螭龙并流⑤，上下悠悠只。
雾雨淫淫，白皓胶⑥只。

魂乎无东！汤谷[7]寂寥只。
魂乎无南！

南有炎火千里[8]，蝮蛇蜒[9]只。
山林险隘，虎豹蜿[10]只。
鰅鳙短狐[11]，王虺骞[12]只。
魂乎无南！蜮[13]伤躬只。

魂乎无西！
西方流沙，漭洋洋只。
豕首纵目[14]，被发鬤[15]只。
长爪踞牙[16]，诶[17]笑狂只。
魂乎无西！多害伤只。

魂乎无北！
北有寒山，逴龙赩[18]只。
代水[19]不可涉，深不可测只。
天白颢颢[20]，寒凝凝只。
魂乎无往！盈北极只。

魂魄归来！闲以静只。
自恣[21]荆楚，安以定只。
逞志究[22]欲，心意安只。
穷身[23]永乐，年寿延只。
魂乎归来！乐不可言只。

五谷六仞[24]，设菰梁[25]只。
鼎臑盈望[26]，和致芳[27]只。
内鸧[28]鸽鹄，味[29]豺羹只。
魂乎归来！恣所尝只。

鲜蠵[30]甘鸡，和楚酪[31]只。
醢豚苦狗[32]，脍苴蓴[33]只。
吴酸蒿蒌[34]，不沾薄[35]只。
魂兮归来！恣所择只。

炙鸹烝凫[36]，煔[37]鹑陈只。
煎鲼臛[38]雀，遽爽存[39]只。
魂乎归来！丽[40]以先只。

四酎并孰[41]，不涩嗌[42]只。
清馨冻饮，不歠役[43]只。
吴醴白蘗[44]，和楚沥[45]只。
魂乎归来！不遽惕只。

代秦郑卫[46]，鸣竽张只。
伏戏驾辩[47]，楚劳商[48]只。
讴和扬阿[49]，赵萧倡只。
魂乎归来！定空桑[50]只。

二八接舞[51]，投诗赋[52]只。
叩钟调磬，娱人乱[53]只。
四上竞气[54]，极声变只。
魂乎归来！听歌譔[55]只。

朱唇皓齿，嫭以姱[56]只。
比德好闲[57]，习以都[58]只。
丰肉微骨，调以娱只。
魂乎归来！安以舒只。

嫮[59]目宜笑，娥眉曼只。
容则[60]秀雅，稚朱颜只。
魂乎归来！静以安只。

姱修滂浩[61]，丽以佳只。
曾颊倚耳[62]，曲眉规[63]只。

滂心[64]绰态，姣丽施只。
小腰秀颈，若鲜卑[65]只。
魂乎归来！思怨移只。

易中利心[66]，以动作只。
粉白黛黑，施芳泽[67]只。
长袂拂面，善留客只。
魂乎归来！以娱昔[68]只。

青色直眉[69]，美目婳[70]只。
靥辅奇牙[71]，宜笑嗎[72]只。
丰肉微骨，体便娟[73]只。
魂乎归来！恣所便[74]只。

夏屋[75]广大，沙堂[76]秀只。
南房[77]小坛，观绝霤[78]只。
曲屋步壛[79]，宜扰畜[80]只。
腾驾[81]步游，猎春囿只。
琼毂错衡[82]，英华假[83]只。
茝兰桂树，郁弥路只。
魂乎归来！恣志虑只。

孔雀盈园，畜鸾皇只！
鹍鸿群晨，杂鹙[84]鸧只。
鸿鹄代游[85]，曼鹔鷞[86]只。

魂乎归来！凤凰翔只。

曼泽[87]怡面，血气盛只。
永宜厥身，保寿命只。
室家盈廷[88]，爵禄盛只。
魂乎归来！居室定只。

接径[89]千里，出若云[90]只。
三圭重侯[91]，听类神[92]只。
察笃夭隐[93]，孤寡存[94]只。
魂兮归来！正始昆[95]只。

田邑千畛[96]，人阜昌[97]只。
美冒众流[98]，德泽章只。
先威后文[99]，善美明只。
魂乎归来！赏罚当只。

名声若日，照四海只。
德誉配天，万民理只。
北至幽陵，南交阯只。
西薄羊肠[100]，东穷海只。
魂乎归来！尚贤士只。

发政献行[101]，禁苛暴只。
举杰压陛[102]，诛讥罴只[103]。

直赢[104]在位，近禹麾[105]只。
豪杰执政，流泽施只。
魂乎归来！国家为只。

雄雄赫赫[106]，天德明只。
三公穆穆[107]，登降堂[108]只。
诸侯毕极[109]，立九卿只。
昭质[110]既设，大侯[111]张只。
执弓挟矢，揖辞让[112]只。
魂乎来归！尚三王[113]只。

【注释】

①谢：离去。受谢，是说春天承接着冬天离去。

②遽：竞争。

③冥：幽暗。凌：冰。浃：周遍。

④溺水：谓水深易沉溺万物。浟(yóu)浟：水流的样子。

⑤并流：顺流而行。

⑥皓胶：本指冰冻的样子，这里指雨雾白茫茫，像凝固在天空一样。

⑦汤谷：即“旸谷”，传说中的日出之处。

⑧炎火千里：据《玄中记》载，扶南国东有炎山，四月火生，十二月灭，余月俱出云气。

⑨蜒：长而弯曲的样子。

⑩蜿：行走的样子。

⑪鰅鳙(yú yóng)短狐：都是善于害人的怪物。

⑫王虺(huǐ)：大毒蛇。骞：虎视眈眈。

⑬蜮(yù):含沙射影的害人怪物。
⑭纵目:眼睛竖起。
⑮鬤(ráng):毛发散乱的样子。
⑯踞牙:踞,当作“锯”;锯牙,言其牙如锯也。
⑰诶(xī):通“嬉”。
⑱逴(chuō)龙:即“烛龙”,神话传说中人面蛇身的怪物。赩(xì):赤色。
⑲代水:神话中的水名。
⑳颢颢:闪光的样子,这里指冰雪照耀的样子。
㉑自恣:随心所欲。
㉒逞:施展。究:极尽。
㉓穷身:终身。
㉔仞:八尺。六仞:谓五谷堆积有六仞高。
㉕设:陈列。菰(gū)粱:雕胡米,做饭香美。
㉖臑(rú):煮烂。盈望:满目都是。
㉗和致芳:调和使其芳香。
㉘内:通“肭”,肥。鸧(cāng):鸧鹒,即黄鹂。
㉙味:品味。
㉚蠵(xī):大龟。
㉛酪:乳浆。
㉜醢(hǎi):肉酱。苦狗:加少许苦胆汁的狗肉。
㉝脍:切细的肉,这里是切细的意思。苴蓴(jū pò):一种草本植物。
㉞蒿蒌:香蒿,可食用。
㉟沾:浓。薄:淡。
㊱鸹(guā):乌鸦。凫:野鸭。
㊲煔(qián):把食物放入沸汤中烫熟。

㊳鲭(jì):鲫鱼。臛(huò):肉羹。

㊴遽(qú):通“渠”,如此。爽存:爽口之气存于此。

㊵丽:美,美味。

㊶酎(zhòu):醇酒。四酎,四重酿之醇酒。孰:通“熟”。

㊷蜮嗌(sè à i):涩口刺激咽喉。

㊸不歠(chuò)役:不可以给仆役低贱之人喝。

㊹醴:甜酒。白糵(niè):米曲。

㊺沥:清酒。

㊻代秦郑卫:指当时时髦的代、秦、郑、卫四国乐舞。

㊼伏戏:即伏羲,远古帝王。驾辩:乐曲名。

㊽劳商:曲名。

㊾扬阿:歌名。

㊿定:调定。空桑:瑟名。

㉛二八：女乐两列，每列八人。接：连。接舞：指舞蹈此起彼伏。
52投：合。投诗赋：指舞步与诗歌的节奏相配合。
53乱：这里指狂欢。
54四上：指前文代、秦、郑、卫四国之鸣竽。竞气：竞赛音乐。
55譔(zhuàn)：具备。此句谓各种音乐都具备。
56嫭(hù)：美丽。姱(kuā)：美丽。
57比德：指众女之品德相同。好闲：指性喜娴静。
58习：娴熟，指娴熟礼仪。都：指仪态大方。
59嫮(hù)：通"嫭"，美好。
60则：模样。
61滂浩：广大的样子，这里指身体健美壮实。
62曾：重。曾颊：指面部丰满。倚耳：指两耳贴后，生得很匀称。
63规：圆规。
64滂心：心意广大，指能经得起调笑嬉戏。
65鲜卑：王逸注："衮带头也。言好女之状，腰支细少，颈锐秀长，靖然而特异，若以鲜卑之带约而束之也。"
66易：直。利：和。易中利心：心中正直温和。
67泽：膏脂。
68昔：晚上。
69青色：指用黛青描画的眉毛。直：通"值"。直眉：双眉相连。
70嫲(mián)：眼睛美好的样子。
71靥辅：脸颊上的酒窝。奇牙：门齿。
72嗎(xiān)：通"嫣"，笑得好看。
73便娟：轻盈美好的样子。
74恣所便：随您的便，任你所为。

⑦⑤夏屋:大屋。夏:通“厦”。

⑦⑥沙堂:用朱砂图绘的厅堂。

⑦⑦房:堂左右侧室。

⑦⑧观(guàn):楼房。霤(liù):指屋檐。绝霤:超过屋檐,形容楼高。

⑦⑨曲屋:深邃幽隐的屋室。壛:通“檐”。步壛(yán):长廊。

⑧⑩扰畜:驯养马畜。

⑧①腾驾:驾车而行。

⑧②琼毂(gǔ):以玉饰毂。错衡:以金错饰衡。衡,车上横木。

⑧③假:大。

⑧④鹙(qiū):水鸟名,据传似鹤而大,青苍色。

⑧⑤代游:一个接一个地游戏。

⑧⑥曼:连续不断。鹔鷞(sù shuāng):水鸟名,一种雁。

⑧⑦曼泽:细腻润泽。

⑧⑧室家:指宗族。盈廷:充满朝廷。

⑧⑨接径:道路相连。

⑨⑩出若云:言人民众多,出则如云。

⑨①三圭:古代公执桓圭,侯执信圭,伯执躬圭,故曰三圭,这里指公、侯、伯。重侯:谓子、男,子男为一爵,故言重侯。三圭重侯:指国家的重臣。

⑨②听类神:听察精审,有如神明。

⑨③察笃:明察、优待。夭:未成年而死。隐:疾痛,指病人。

⑨④存:慰问。

⑨⑤正:定。昆:后。正始昆:定仁政之先后。

⑨⑥畛:田上道。

⑨⑦阜昌:众多昌盛。

⑨⑧美:指美善的教化。冒:覆盖、遍及。众流:指广大人民。

⑨先威后文:先以威力后用文治。
⑩幽陵、交阯、羊肠:皆为地名,幽陵在今辽宁南部一带,交阯在今两广一带,羊肠在今山西西北部一带。
⑪献行:进献治世良策。
⑫举杰压陛:推举俊杰,使其立于高位。压:立。
⑬诛讥:惩罚、责退。罴(pí):通“疲”,疲软,指不能胜任工作的人。
⑭直赢:正直而才有余者。
⑮禹麾:蒋骥《山带阁注楚辞》说:“疑楚王车旗之名,禹或羽字误也。”
⑯雄雄赫赫:指国家威势强盛。
⑰穆穆:此指和睦互相尊重的样子。
⑱登降:上下,此指出入。堂:指朝廷。
⑲毕极:全都到达。
⑳昭质:显眼的箭靶。
㉑大侯:大幅的布制箭靶。
㉒揖辞让:古代射礼,射者执弓挟矢以相揖,又相辞让,而后升射。
㉓三王:楚三王,即《离骚》中的“三后”,指句亶王、鄂王、越章王。

【译文】

春天来了,太阳多么明亮,
春意盎然,万物蓬勃生长。
玄冥遍行驰收,魂魄无处逃亡。
魂魄啊!回来吧!不要漂游远方。
魂魄啊!回来吧!
不要到东方不要去西方,不要往南方不要跑北方。
东方有大海,水深流急。

海中螭龙随流而行，上下游戏。
东方阴雨连绵，白茫茫无边无际。
魂魄啊！别到东方去！
旸谷那地方无声无息。
魂魄啊！别到南方去！
南方炎热千里，长长的蝮蛇来来往往。
山险林深道路崎岖，虎豹横行匍匐盘踞。
鲳鳙怪鱼和短狐群聚，大蟒时时把头昂起。
魂魄啊！别到南方去！鬼蜮会伤害你的身体。
魂魄啊！别到西方去！
西方有流沙，茫茫无边无际。
那里的怪物猪头竖目，披着满头乱发。
长长的爪子锯似的牙，捉住人就嘻嘻哈哈。
魂魄啊！别到西方去！危害太多令人害怕。
魂魄啊！别到北方去！
北方有寒山，红色的烛龙就在那里。

代水不能渡过，水深不见底。
蓝天与白雪映照，严寒凝聚大地。
魂魄啊！千万不可去！整个北方都是冰天雪地。
魂魄啊！回来吧，这里安闲清静。
在楚国可以自由自在，安安定定。
这里能够心满意足，无忧无虑。
你将终身快乐，延年长命。
魂魄啊！回来吧！这里的欢乐说不尽。
五谷丰登堆成山，桌上摆设菰米饭。
鼎盛佳肴一排排，拌有调料姜桂蒜。
鸽鹤白鸽天鹅肥，豺肉羹汤味道鲜。
魂魄啊，回来吧！任你品尝任你餐。
海龟鲜美田鸡肥，佐以楚酪味更美。
小猪肉酱狗肉干，蘘荷切得细又碎。
吴味酸汤白蒿调，爽口不腻味道好。
魂魄啊，回来吧！各式羹汤任你挑。
烧灰鹤、蒸野鸭，燥烤鹌鹑桌上摆。
油煎鲫鱼雀肉羹，众味依次端上来。
魂魄啊，回来吧！珍馐美味头道菜。
四缸醇酒都酿熟，不苦不涩味爽口。
酒味清香最宜冷饮，仆役不得饮此酒。
吴地甜酒白曲酿，勾兑楚国清醇酒。
魂魄啊，回来吧！开怀畅饮不担忧。
代秦郑卫流行乐，吹竽鼓瑟声大作。
还有伏羲《驾辩》曲，也听楚国《劳商》歌。

唱起《扬何》众人和，赵萧起调奏其乐。
魂魄啊，回来吧！等你校定空桑瑟。
两列美女轮流，发声举足合雅乐。
叩金钟，击石磬，乐工演奏有拍节。
四种名曲争高下，极尽声调变化多。
魂魄啊，回来吧！快来欣赏各种歌舞。
这里美人唇红齿白，容貌美好世间难得。
容止合德性文静，习熟礼节美容仪。
体态丰满细腰身，身形和谐令人喜。
魂魄啊，回来吧！家里让你怡然自得。
美目顾盼笑得俏，两弯长长眉儿细。
梳妆得体真俊秀，嫩脸红白细腻腻。
魂魄啊，回来吧！家里安静又适意。
体态修长心宽广，姿容美丽性善良。
面颊丰满双耳贴，眉毛弯弯新月状。
心怀开阔姿柔美，袅娜婉丽不张狂。
腰儿苗条颈儿美，似若鲜卑带钩样。
魂魄啊，回来吧！相思的怨恨你会遗忘。
聪颖敏捷心伶俐，梳洗打扮见慧心。
脸扑白粉黛画眉，又擦香脂增芬芳。
舒展长袖遮粉面，宾客陶醉无离心。
魂魄啊，回来吧！长夜欢娱直到晨。
眉儿青青平又直，美丽的眼睛脉含情。
面带酒涡牙齿美，嫣然一笑醉煞人。
体态丰满腰肢细，姿态轻盈袅娜身。

魂魄啊，回来吧！任你挑选众美人。
宫殿高大又宽广，厅堂涂砂真漂亮。
南有厢房小庭院，檐下水槽供水淌。
回廊长廊可观览，奇禽珍畜苑囿养。
驾车奔驰信步游，狩猎春囿是猎场。
玉镶车轮衡涂金，车厢雕花明煌煌。
白芷兰草桂花树，郁郁葱葱满路旁。
魂魄啊，回来吧！纵情地游乐玩赏。
五彩孔雀满园林，还养鸾鸟和凤凰。
昆鸡大雁清晨啼，鹙鸧声声跟着唱。
天鹅往来自在游，鹔鹴翩翩任翱翔。
魂魄啊，回来吧！看看凤凰飞翔。
肌肤润泽面带笑，血气旺盛精力壮。
身心永远适宜，自会延年寿命长。
你的室家宗族满朝廷，爵禄丰厚家族旺。
魂魄啊，回来吧！住在家里最安详。

楚疆接连千余里，百姓众多出似云。
封爵公侯伯子男，审察事理细如神明。
体恤夭病民疾苦，慰问孤寡老弱贫。
魂魄啊，回来吧！少有所养老有终。
田野村庄路千条，人来人往人丁盛。
仁政广覆众黎庶，德政恩惠更显明。
先武后文治天下，政治清廉美善光明。
魂魄啊，回来吧！赏善罚恶最公正。
楚国的名声似太阳，光耀天下照四海。
盛德美誉如天齐，治理天下民康泰。
北至边地幽州城，南到交阯夷蛮寨。
西近晋西羊肠山，东边一直到大海。
魂魄啊，回来吧！楚国崇尚贤良才。
发布政令推行仁政，禁绝苛法除暴政。
举贤任能居高位，罢除无能与凡庸。
忠直俊秀掌国事，恰似夏禹任贤能。
豪杰当国执大政，恩泽流布众百姓。
魂魄啊，回来吧！这样的国家大有作为。
国力赫赫威势盛，君王盛德日月明。
三公相处很和睦，出入殿堂议大政。
遍用诸侯委政事，继之受职设九卿。
射礼箭靶竖起来，白色熊皮挂当中。
执弓挟箭来比射，互相礼让君子风。
魂魄啊，回来吧！继承三王的传统。